Christian Schulte-Loh
Zum Lachen auf die Insel

Pat)

PIPER

Zu diesem Buch

Sein Weg vom Humormigranten zum erfolgreichen Komiker in England war hart – dafür aber auch extrem unterhaltsam. Zu Beginn gewannen immer mal die Briten, doch nach und nach setzte sich der Deutsche durch. Ganz ohne Elfmeterschießen. Christian Schulte-Loh erzählt seine Geschichte: vom britischen Humor, von schrägen englischen Eigenarten, von Brexit-Gedanken und vom Auf und Ab eines Exil-Komikers auf Dauer-Tour.
Eine längst überfällige Hommage an die deutsch-britische Freundschaft.

Christian Schulte-Loh ist zwar 1979 im Ruhrgebiet geboren, wurde aber wegen seines trockenen Humors und der noblen Blässe schon immer für einen Engländer gehalten. Auf der Insel ist er nun seit acht Jahren als Komiker erfolgreich, tritt beim Fringe Festival in Edinburgh auf und ist regelmäßiger Gast bei der BBC. Die Briten feiern den Wahl-Londoner als »einen der subversivsten Acts aller Zeiten« (*The Spectator*). Bekannt ist er auch aus dem deutschen Fernsehen (»Quatsch Comedy Club«, »Markus Lanz«, »NightWash« u. a.).

Christian Schulte-Loh online:
www.germancomedian.com
Twitter: @germancomedian
Facebook: www.facebook.com/christianschulteloh

Christian Schulte-Loh

ZUM LACHEN auf die INSEL

Als deutscher Komiker in England

PIPER

Mehr über unsere Autoren und Bücher:
www.piper.de

MIX
Papier aus verantwor-
tungsvollen Quellen
FSC® C083411

Originalausgabe
April 2017
© Piper Verlag GmbH, München 2017
Umschlaggestaltung: zero-media.net, München
Umschlagabbildung: Vorderseite: plainpicture/Rudi Sebastian
Rückseite: Sector3 Media GmbH, Ugur Takoz
Satz: Kösel Media GmbH, Krugzell
Gesetzt aus der Quadraat
Druck und Bindung: CPI books GmbH, Leck
Printed in Germany   ISBN 978-3-492-31029-1

»Das größte Geheimnis der Engländer ist,
warum sie nicht auswandern.«

Ephraim Kishon

»It's all to do with the training:
you can do a lot if you're properly trained.«

Queen Elizabeth II.

Für Christine Cole.
Und für England.

INHALT

MAL VERLIERT MAN, MAL GEWINNEN DIE ANDEREN

– Die ersten Monate auf der Insel –

Sie hatten mich fertiggemacht.

Ich war gerade erst in England angekommen, da lag ich auch schon am Boden.

»Off! Off! Off!«, die Schreie der dreihundert Betrunkenen hallten nach. Nicht mal eine halbe Stunde war es jetzt her, dass mich die Meute von der Bühne gebuht hatte. Wieder eine dieser kaum zu gewinnenden Schlachten: Hunderte von Engländern gegen einen Deutschen. Nun saß ich im Wartesaal des Bahnhofs, der nächste Zug zurück nach London würde erst in 55 Minuten gehen.

Der alte Mann neben mir warf noch eine Münze in den Spielautomaten, den die Briten verharmlosend »Fruit Machine« nennen, doch trotz des Namens fühlte es sich ungesund an.

Gewinner waren wir in dieser Nacht im Herbst 2009 beide nicht.

Ich ging den Abend noch mal durch: Alle drei Komiker

waren von der Bühne gebrüllt worden, ein beachtlicher Teil des Publikums hatte Bekanntschaft mit den Kampftechniken der Türsteher gemacht, und ich hatte einen weiteren Samstagabend in einem dunklen, britischen Keller-Club verbracht. Die Bezahlung für den Auftritt war miserabel, es regnete, und ich hatte meinen Zug vor der Nase wegfahren sehen.

Und doch war ich glücklich – denn ich war genau am richtigen Ort.

Schließlich stand ich am Anfang einer Mission: Ich wollte es als Komiker in England schaffen.

Als Jugendlicher hatte ich vor dem weltberühmten Londoner Comedy Store gestanden und gesagt: »Eines Tages trete ich hier auf. Eines Tages!«

Das war mein Ziel, da wollte ich hin.

Und ich wusste, dass ich dafür leiden musste, je mehr, umso besser.

In dem Moment dachte ich an Diego Maradona, den größten Fußballer aller Zeiten.

Er spielte als Kind in Villa Fiorito, einem bettelarmen Vorort von Buenos Aires, den ganzen Tag Fußball, jeden Tag. Er machte nichts anderes, ging nur zum Schlafen und Essen nach Hause. Wenn es denn mal etwas zu essen gab.

Bei Anbruch der Dunkelheit spielte er weiter. Der Ball war kaum noch zu sehen, dennoch dachte Diego gar nicht ans Aufhören: »Es war dunkel, wir haben nichts mehr gesehen. Aber wir wussten, wenn wir in der Lage waren, im Dunkeln zu spielen, würden wir im Hellen unschlagbar sein.«

Nun hatte sie also begonnen, meine Zeit als deutscher Komiker in England, und ich hatte diesen Diego-Maradona-Moment: Let the games begin! Ich war bereit für viele dunkle Spiele.

Und die Engländer sollten mich nicht enttäuschen…

ALLES GERÄT
INS WANKEN

– Experte fürs Scheitern –

Juni 2016, knapp sieben Jahre später. Ich sitze bei Markus Lanz im Studio und kommentiere die Tatsache, dass meine Wahlheimat nicht mehr europäisch sein will. Brexit ist das Wort der Stunde, und ich habe seit Tagen kaum geschlafen. In den vergangenen 48 Stunden waren es sicher zehn Interviews, das längste davon im Studio der Deutschen Welle. Sechs Stunden lang kommentierte ich dort mit anderen »Experten« die eingehenden Wahlergebnisse. Vor sieben Jahren von der Bühne gebuht, heute schon Experte – so schnell kann's gehen.

In den folgenden Stunden fiel dann das Britische Pfund auf Rekordtief und mein Energielevel gleich mit. Und jetzt sitze ich also im ZDF-Studio und werde als »deutscher Komiker in London« angekündigt (wobei ich ja heute Abend eher Londoner Komiker in Deutschland bin).

Es ist aber auch verrückt, vor ein paar Tagen ist England aus der EU und gestern auch noch aus der Europameisterschaft ausgeschieden, ausgerechnet gegen Island, ein Land in dem es ungefähr so viele Menschen gibt wie hier im Lanz-Studio.

Ich hatte es geahnt, ein Referendum, so etwas ist nie eine gute Idee. Jetzt ist England raus, und der ehemalige französische Präsident Jacques Chirac hat wohl doch recht behalten: »Man kann Menschen einfach nicht vertrauen, die so schlecht kochen.«

Nach der Sendung sitze ich im Hotel und kann vor lauter Müdigkeit nicht schlafen.

Ich fühle eine Art Liebeskummer, denke über meine Beziehung zu England nach. In dieser historisch schwierigen Woche für Großbritannien bin ich nicht da. Ausgerechnet!

Ich fühle mich schlecht und muss etwas tun. Also schalte ich den Wasserkocher ein – eine klassisch britische Übersprungshandlung: erst mal ein Tee. Dann setze ich mich auf die Couch und schreibe meinen Londoner Freunden Handy-Nachrichten aus Hamburg-Altona. Alle antworten sofort, denn an Schlaf ist bei keinem von uns zu denken. Komischerweise fühlen wir uns durch den Brexit zusammengehöriger denn je: wie die Kinder nach der Trennung der Eltern.

Und als europäisches Scheidungskind schießen mir sofort existenzielle Fragen durch den Kopf. Werde ich weiter pendeln können, oder muss ich mich für ein Land entscheiden? Und wer bekommt mich am Wochenende?

All das passiert in meinem siebten Insel-Jahr, im verflixten.

Es ist der ideale Moment, um von meinem England zu schreiben, von meinen ersten Auftritten dort, vom harten Kampf am Londoner Comedy- und Wohnungsmarkt, von Niederlagen, Peinlichkeiten, von Siegen und von meinen Freunden, den Engländern, diesem lustig-bierseligen Inselvolk, das mich aufgenommen hat und dessen Humor ich so sehr lieben gelernt habe, denn:

»Das ist typisch britisch. Wir nehmen uns selbst einfach nicht so ernst, wie andere Nationen das tun.« *Joan Collins*

UND ICH STERBE TAUSEND TODE (1. AKT)

– Albtraum-Auftritte –

»You can't please all the people all the time.
And last night, all those people were at my show.«
Mitch Hedberg

Die beliebteste Frage an einen Komiker lautet: »Was war dein schlimmster Auftritt bisher?«

Mir wird sie mindestens einmal pro Woche gestellt. Ich frage dann meistens zurück: »Was war dein schlimmster Arbeitstag bisher?«

Der Grund, warum nie jemand nach dem besten Auftritt oder der schönsten Erfahrung fragt, ist derselbe, aus dem auch ein Stuntman nie nach seiner gelungensten Aktion gefragt wird. Ein Unfall wird bei der Übertragung eines Formel-1-Rennens zwanzigfach wiederholt, eine schön gefahrene Kurve nur einmal, wenn überhaupt. Scheitern ist lustiger als Gelingen, das weiß jeder Clown. Stolpern erzeugt Lacher, Laufen nicht.

»Du bist immer nur so gut wie dein letzter Gig«, lautet daher eine beliebte Weisheit im Showgeschäft. Und es stimmt: Ein schlechter Auftritt nagt an einem, ein guter wird als selbstverständlich abgehakt. So sind die Leute oft überrascht, dass ich nach einem schlechten Gig nicht dableibe und die Bar leertrinke. Ich flüchte. So machen es meiner Erfahrung nach alle Kollegen. Nach einer guten Show bleibe ich, nach einer schlechten will ich nur noch weg, wie bei der Flucht nach einem Verbrechen. Auf schnellstem Wege raus, am besten durch die Hintertür.

In meinem ersten Jahr in England – ich war noch wahnsinnig unerfahren im Umgang mit besoffenen Meuten – trat ich an einem Freitagabend im südenglischen Bournemouth auf. Wochenend-Gigs sind generell eine wilde, alkoholschwangere Angelegenheit in Großbritannien. Zum Vergleich: In Deutschland riecht es im Comedy-Club direkt nach dem Einlass nach Parfum, in England nach einer intensiven Wodka-Mischung. Gerne aus 1-Liter-Cocktail-Eimern. Die feine englische Art eben.

Freitagsauftritte sind dabei noch schlimmer als die Shows am Samstag. Denn freitags geht es direkt nach der Arbeit in den Pub. Von dort auf eine Tüte Pommes in den Chip-Shop, dann in den Comedy-Club. Bei Spätshows gibt es zwischen Chip-Shop und Comedy-Club noch einen zusätzlichen Programmpunkt: einen weiteren Pub. Oft wird dann schon beim Einlass ein wenig aussortiert, sodass trotz ausverkaufter Veranstaltung gerne mal Plätze im Club frei bleiben. Those people didn't make it. Generell hat in England jeder Comedy-Club mindestens einen Türsteher, die meisten eher zwei oder drei. Und das aus gutem Grund: rausgeworfen wird immer.

Einmal lief in einem Liverpooler Club ein halbes Dutzend übergewichtiger englischer Hausfrauen in Stöckelschuhen zurück in Richtung ihrer Sitze, sie kamen direkt von der Bar. Die Damen wankten stärker als die Wuppertaler Schwebebahn und hielten jeweils zwei volle Getränke in ihren Händen. In einer Mischung aus Pech und Physik kam nun die erste Dame ins Trudeln, sie stolperte und fiel. Alle anderen stolperten mit und landeten dabei weicher als sie, nämlich auf der Ersten. Ein Spektakel! Die sympathische Gruppe kam nicht mehr richtig hoch und stellte dann vor Freude gackernd und auf dem Boden liegend fest, dass es da unten auch lustig wäre. Die drei Türsteher-Schränke kamen und versuchten die Damen zum Aufstehen zu bringen. Die Show müsse beginnen, und man liege im Weg: »We can't start the show« with a pile of women blocking the fire exit.«

Doch der Aufräumversuch misslang. Es half nicht, dass sie alle Schwarz trugen. Der Frauen-Berg lachte, die Türsteher verzweifelten, wollten sich nicht verheben und beschlossen, Verstärkung aus dem angeschlossenen Night Club zu holen. Schließlich beförderten fünf (!) Türsteher die Damen einzeln nach draußen. Die tumultartige Szene war vorbei, der Notausgang wieder frei, und die Show konnte beginnen. Solch ein Vorprogramm würde jede Show der Welt besser machen.

In der Regel treten in einem Comedy-Club neben dem Moderator aber keine betrunkenen Hausfrauen auf, sondern drei Komiker, für jeweils 20 Minuten. Nach jedem Comedian gibt es eine Pause. Nachtanken!

Das gilt nicht zuletzt für Auftritte in einer Stadt wie Bournemouth.

Genau wie Blackpool oder Newcastle ist Bournemouth eine Party-Stadt, eine Hochburg für Junggesellenabschiede. In diese Städte fallen jedes Wochenende Tausende feiersüchtige Gruppen ein, die einen unvergesslichen »Stag Do« (Junggesellenabschied), »Hen Do« (die weibliche Variante) oder »Birthday Do« erleben wollen. Je unvergesslicher dieses Wochenende werden soll, umso mehr wird getrunken, und an entsprechend weniger Erlebtes erinnern sich die Teilnehmer später. Aus einem geplant unvergesslichen Wochenende wird ein komplett vergessenes. Das Gute daran ist, dass man sich dann wenigstens an die eigenen Errungenschaften (nur ein ignoranter, nüchterner Beobachter würde sagen: Peinlichkeiten) nicht mehr erinnert. Amnestie durch Amnesie. Und die Peinlichkeiten sind zahlreich: halbnackte Frauengruppen mit großen Aufblaspenissen in der Hand, halbnackte Männergruppen mit ähnlichen Dingen, jedoch in der plastikfreien Natur-Ausführung.

Die Hotels in diesen Städten sind auf solche Gruppen perfekt eingestellt. Die Hotelzimmer gleichen Hochsicherheitsgefängniszellen, in denen selbst die Gallagher-Brüder nichts zum Randalieren fänden. Alles ist festgeschraubt, vergittert und verschweißt. Ich habe auf Tour schon in Dutzenden solcher Hotelzimmer übernachtet, denn bei rechtzeitiger Buchung kosten sie weniger als eine Runde Bier im Pub. Und für unter 30 Pfund bekommt man dann eben keine Suite, sondern ein EZ: eine Einzelzelle.

Das große Saufen fängt für die Wochenendtouristen immer schon auf der Zugfahrt an. Ein Aufenthalt in englischen Regionalzügen an einem Freitagnachmittag gleicht daher eher einer Fahrt mit dem Bier-Bike durch den Düsseldorfer Karneval. Ich war an jenem Freitag also sehr froh, als mir der Moderator der Show anbot, mich aus London mit dem Auto mitzunehmen. Zum einen macht so ein Roadtrip mit einem anderen Komiker fast immer Spaß, zum anderen konnte ich so der wilden Zugfahrt im überfüllten Ballermann-Express entgehen. Außerdem fühlt man sich gemeinsam etwas weniger ausgeliefert bei so einem Gladiatorenkampf, der offiziell als Comedy-Veranstaltung verkauft wird.

Als der Moderator die Show in Bournemouth eröffnete, glich der Saal, der eigentlich ein großer Nachtclub ist, tatsächlich einer Mischung aus einer Arena im alten Rom, einem Fußballstadion und dem Fight Club: Es wurde gegrölt, es wurden Dinge geworfen, die Meute war nach Geschlechtern getrennt, und man verstand sein eigenes Wort nicht. Gut, dass mein Beitrag ausschließlich aus Worten bestehen würde. Ich beobachtete den Moderator, der diesen Gig schon mehrmals absolviert hatte. Er tat genau das Richtige: Er kletterte auf die Sitze der ersten Reihe und fing an, alle Gruppen im Publikum einzeln zu beleidigen. Der Saal tobte. Und ich lernte mal wieder neue englische Schimpfwörter. Es wurde Zeit für den ersten Comedian, einen Australier names John, mit dem ich schon mehrmals aufgetreten war. John ist ein guter Komiker, der schwierige Räume eigentlich immer in den Griff bekommt. Aber das hier war irgendwie anders. John kam auf die »Bühne«, das heißt, er trat in den Bereich, auf den alle Menschen im Saal blickten und der eigentlich eine Tanzfläche war. John sollte, wie wir alle, ein zwanzig Minuten langes Set spielen. Die ersten anderthalb Minuten liefen ganz gut. Dann kippte die Stimmung, und es wurde zu einem Debakel. Nach kurzer Zeit kamen »Off! Off! Off!«-Rufe aus dem Publikum, und ich hatte das Gefühl, einer Massenkarambolage in Zeitlupe zuzusehen. Es war schlimm, aber gleichzeitig unmöglich wegzusehen. John zog durch und spielte fast zwanzig Minuten lang. Dann: Pause. Ich war gewarnt und befürchtete das Schlimmste. Und wie sich herausstellte, sollten selbst meine kühnsten Horror-Erwartungen noch übertroffen werden. Nach der Pause nahm sich der Moderator wieder das Publikum vor und feuerte ein Arsenal an Beschimpfungen ab. Er hatte sicher mal als Raubtier-Dompteur im Zirkus gearbeitet oder das Drehbuch zu Full Metal Jacket auswendig gelernt. Wahrscheinlich beides. Er bekam die Masse zwar nicht in den Griff, amüsierte sie aber immerhin durch Beleidigungen: man schaukelte sich noch weiter hoch. Klasse, und jetzt kam ich.

Für gefühlte 45 Sekunden lief bei meinem Auftritt alles fantastisch, die Hälfte des Publikums hörte sogar zu. Dann ging es steil bergab: Plötzlich stand ich nackt vor der Schulklasse, ohne Hausaufgaben, mit Live-Übertragung in der ARD, zur besten Sendezeit direkt nach der Tagesschau. Ein Albtraum.

Ich erinnere mich, dass einer aus dem Publikum aufstand und den Saal verließ, was mich neidisch werden ließ: Ich wollte auch.

Ich schwitzte und bekam einen trockenen Mund, außerdem fing ich an, schneller zu werden und lauter zu sprechen. Alles typische Fehler, die man als Komiker macht, wenn es nicht läuft. Ich habe knapp 17 Minuten durchgezogen und bin dann geschlagen von der Bühne geschlichen. Das war's, nie wieder Stand-up, nie wieder Comedy.

Der Veranstalter sagte mir auf dem Weg nach draußen noch: »Keine Sorge. Den meisten Comedians ergeht es hier noch viel schlimmer.« Was für ein Trost. Irgendjemandem geht es ja immer noch schlechter: »Sie haben nur noch drei Monate zu leben. Aber kein Grund zur Traurigkeit, andere sterben schon morgen.«

Ich verschwand durch die Hintertür und verabschiedete mich von niemandem, außer von meinen Träumen.

Kurz danach verpasste ich meinen Zug und saß schließlich in jenem besagten Wartesaal am Bahnhof, neben mir der Fruit-Machine-Spieler.

Ich hatte realisiert, dass manche Schlachten einfach nicht zu gewinnen sind. Cut your losses, sagt der Engländer. Manchmal muss man also einfach damit leben, dass nicht viel zu holen ist. Wenn die äußeren Umstände nicht stimmen, ist ein Unterfangen nun mal in vielen Fällen zum Scheitern verurteilt. Und eine Comedy-Show ist da ähnlich empfindlich und von den äußeren Bedingungen abhängig wie Segeln, Skispringen oder ein Picknick. Das Licht muss stimmen (Comedian hell, Publikum dunkel), der Ton (laut genug, aber nicht zu laut), der Raum (niedrige Decke, niedrige Bühne) und der Alkoholpegel im Publikum sowieso (nicht zu nüchtern, aber auch nicht zu voll, im Idealfall genau 0,62 Promille). Es gibt so viele Faktoren, die einem als Komiker das Leben schwer machen können. So ist es zum Beispiel immer problematisch, wenn einige Zuschauer nicht freiwillig da sind, was oft bei Firmenauftritten oder Weihnachtsfeiern der Fall ist. Diese Gäste wollen dann reden, trinken und die Kollegin oder den Kollegen abschleppen. Da störe ich auf der Bühne einfach, man fasst sich dann besser kurz.

Das galt auch, als ich gebucht war für einen Auftritt in einem Pub, der sein 100-jähriges Bestehen feierte. Was ich nicht wusste: Der Wirt hatte sich die Comedy-Show als Überraschung für seine Gäste ausgedacht, die alle nichts davon wussten, sondern lediglich gekommen waren, um sich zu unterhalten und Bier zu trinken. Und diese Gäste sollte ich nun 40 Minuten lang zum Lachen bringen, ohne dass sie es gewollt hätten. Ein klassischer Fall von Nötigung. Mein Platz war in einer Ecke, neben dem Tresen, direkt unter einem großen Flachbildfernseher. Darin lief Fußball, darunter stand ich. Der Wirt drehte unter lautem Protest den Fußball-Ton ab und kündigte mich voller Enthusiasmus an. Außer ihm lächelte keiner – ich lediglich ein wenig aus Angst. Ich musste also nun einen Pub voller angetrunkener Fußballfans davon überzeugen, dass ich ein besseres Unterhaltungsprogramm darstellte als das Spiel Arsenal gegen West Ham United. Und dort waren schon vier Tore gefallen. Der Wirt bemerkte schnell die ansteigende Aggression und realisierte, dass seine Idee nicht Friedensnobelpreis-verdächtig war. Doch noch flogen keine Gläser, und nach und nach fingen sogar einige der Fußballfans an, über meine Gags zu lachen. Vor allem die Tatsache, dass ich meine missliche Lage zum Thema machte, kam gut an. In England lacht man gerne über den Loser, vor allem wenn er über sich selbst lacht. Mein Glück war, dass ich die Verlierer-

Rolle exklusiv hatte, denn beim Fußballspiel stand es 2–2. Immer mehr Fans fingen an, mir zuzuhören, und die Zeit beschleunigte sich wieder – denn nichts fühlt sich so sehr nach Zeitlupe an, wie wenn man beim Auftritt den Künstlertod stirbt. Wenn es gut läuft, verfliegen die Minuten hingegen in rasender Geschwindigkeit. Daher tragen die meisten Stand-up-Comedians eine Armbanduhr, um die Verbindung zur Echtzeit nicht zu verlieren. Subjektive und objektive Zeit waren schon für Einstein nicht identisch. Das haben Physiker und Komiker wohl gemein.

Der Auftritt vor den Fußballfans lief nun also besser und besser, außerdem war gleich Halbzeit beim Spiel. Ich zog durch und hatte am Ende fast die Hälfte der Kneipenbesucher auf meiner Seite, immerhin. Es war kein Spaziergang, aber ich hatte überlebt. I had cut my losses.

»Wahnsinn ist, wenn man wiederholt das Gleiche tut, aber andere Resultate erwartet«, hat der eben erwähnte Albert Einstein mal gesagt. Man darf sich nicht mehrfach in die gleiche dumme Situation bringen. Ich wusste also, dass ich ab sofort immer vorab fragen würde: Wissen die Leute, dass da eine Comedy-Show stattfinden wird? Diese Vorab-Frage an den Veranstalter hat mich danach vor mancher Krisensituation bewahrt. Aber eben nicht vor allen.

Unvergesslich bleibt ein Auftritt bei einem Tontaubenschieß-Event vor zwanzig Lords in den englischen Midlands. Der ärmste Zuschauer im Saal hatte immer noch genug Grundbesitz, um die nächsten Olympischen Spiele im Alleingang auszutragen. Old Money, wie der Engländer sagt. Menschen, die sich gerne abgrenzen von Neureichen: »Ein abscheulicher Kerl. Jemand, der seine Möbel selbst gekauft hat.« Und das sollte nun mein Publikum sein. Vielleicht hatte ich ja eine Chance, weil ich zumindest nicht New Money war. Wie sie wohl auf No Money reagieren würden?

Der Auftritt verlief schon kurios, bevor er überhaupt angefangen hatte. Ich wurde mit einem Bentley von dem Comedy-Club abgeholt, in dem ich am frühen Abend aufgetreten war. In der Luxus-Limousine ging es dann über Landstraßen, durch kleine Dörfer, hinein in eine sehr dunkle Gegend, menschenleer und stockfinster. Wie ich es mir gedacht hatte: Die Lords wollten unter sich sein. Der einzige externe Gast war ich, der Hofnarr. Plötzlich erschien ein heller Punkt in der Dunkelheit, wir näherten uns dem Ziel. Das Anwesen war beeindruckend, mit einer Vielzahl klassischer Luxusautos in der gigantischen Kiesauffahrt, eingerahmt von perfekt frisiertem Buchsbaum. Ich fühlte mich ein bisschen wie James Bond, nur dass ich statt schießender Manschettenknöpfe Gags im Gepäck hatte. Auf jeden Fall war ich gespannt. Ich wurde ins Foyer geführt, wo mich der Präsident der antik-noblen Tontaubengruppe empfing. Er war gekleidet wie Prince Charles bei der Jagd im schottischen Hochland und sprach ein beinahe zur Parodie verkommenes Oxford-English: »Sir, you must be the German gentleman who we've hired for our entertainment.«

Ich gab ihm recht und er mir im Gegenzug einen Umschlag voller Geld. Herzlichen Glückwunsch, genau das hatte bisher gefehlt, damit ich mich vollends als Nutte oder Tanzbär fühlte.

Mir kam eine Idee: Jetzt habe ich das Geld ja schon, könnte ich nicht flüchten? Dann erinnerte ich mich aber daran, dass das hier ja gar keine Entführung war. Und selbst wenn ich gewollt hätte, so wäre ich niemals von dort weggekommen. Wir waren schließlich mitten in den nächtlichen Midlands, und man hatte mich schlauerweise vom eigenen Fahrdienst abhängig gemacht. Also doch eine Entführung? Auf jeden Fall fühlte ich mich ausgeliefert, klein und entmündigt – und der Auftritt hatte noch nicht einmal angefangen. Doch es sollte noch schlimmer werden. Mir wurde zunächst vom Personal ein Getränk angeboten: »Wein, Whisky oder Champagner?« Ich nahm ein Bier und wurde seltsam beäugt. Der Präsident sagte: »Ich kündige Sie den Mitgliedern an, Sie machen 30 Minuten Comedy-Programm, und im Anschluss spielt ein Jazz-Trio. Auf das Jazz-Trio freuen sich schon alle.«

»Na dann. Stehen die Instrumente etwa schon auf der Bühne?«

»Natürlich, junger Freund.«

»Wissen die Leute, dass auch Comedy auf dem Programm steht?«

»Nein, das ist eine Überraschung.«

Da war es wieder, das Ü-Wort. Ich seufzte innerlich laut auf und begrub jede Hoffnung. Ich sagte, dass ich noch auf mein Bier warte und wir dann anfangen können. Der Präsident hatte nicht zugehört, ging nach nebenan und moderierte mich an. Noch eine Überraschung!

Ich lief also eiligen Schrittes in den Saal, der Applaus reichte aber nicht. Ich erreichte das Mikrofon und die ausgestellten Instrumente des Jazz-Trios in absoluter Stille. Erst jetzt sah ich das ganze Ausmaß der Katastrophe: Vor mir standen fünf große Dinner-Tafeln mit weißen Tischdecken, Kristallgläsern, Champagner-Kühlern und Zigarrenkisten. Um die Tische herum saß ein Dutzend älterer Herren, in feinster Tweed-Garderobe, einige mit Dame, einige ohne. Drei der Herren schliefen mit dem Kopf auf dem Tisch: Völlerei, die höchstklassige aller Todsünden.

Es sah aus wie ein Gemälde von Rubens, ich nannte es »Das Gelage im Club der Tontaube«, trotz der vielen Menschen darin war es ein Stillleben. Besser gesagt: ein Still-Leben. Und diese unerträgliche Stille musste weg, irgendeiner musste etwas sagen. Und da ich als Einziger dafür bezahlt wurde, ergriff ich Mikrofon, Mut und Wort und begann meinen Auftritt mit ein paar Standard-Gags, die eigentlich immer funktionieren. Doch dieses Mal: nichts. In der Regel beginnt und beendet jeder Komiker seinen Auftritt mit dem stärksten Material. Daher weiß man, wenn die ersten Gags nicht zünden, schon sehr schnell: Das wird mein Untergang. Und dieses Mal war es schlimmer denn je. Ich fühlte mich wie der Zirkusdirektor, kurz nachdem der Artist vom Trapez abgestürzt ist. Der sagt in dem Falle: Schickt die Clowns rein!

Aber was tun, wenn es umgekehrt läuft? Wenn es beim Clown schiefgeht? Wen schickt man dann rein? Ich musste umdenken, Plan B musste her. Aus Erfahrung wusste ich, dass bei geschlossenen Veranstaltungen der Gast-Redner zuerst seine Anwesenheit rechtfertigen und begründen muss, um dem Publikum klarzumachen, warum sie ausgerechnet ihm, einem Externen, ihre Aufmerksamkeit schenken sollen. Diese könnten die Herrschaften schließlich stattdessen auch dem Champagner, der Tischdame und der Zigarre widmen. Wichtig ist daher, in dem Falle die Gäste einzubeziehen, ihnen zu zeigen, dass es eigentlich um sie geht. Das stimmte natürlich nicht, aber ich musste es so aussehen lassen.

Ich begann also mein altreiches Publikum anzusprechen, zu befragen und aufzuziehen. Ich fragte nach dem Ärmsten im Saal, nach dem Reichsten, dem Ältesten und dem Besoffensten. Nach dem schlechtesten und nach dem besten Tontaubenschützen. Zu jedem ließ ich mir einen Gag einfallen und führte die jeweilige Person in einem kurzen Gespräch vor. Mir kam ein Grundprinzip der Comedy zupass. Der Komiker darf demnach generell nur nach oben schlagen, nicht nach unten. Ein Witz über einen Promi oder über einen Banker ist okay, ein Gag über ein Flüchtlingskind eher nicht. Ich komme also in der Regel nur mit einem Gag davon, wenn er eine Person angreift, die einen höheren Status inne hat als ich selbst. Da ich hier im Saal den mit Abstand geringsten Status verkörperte, war ich auf der sicheren Seite, ich konnte austeilen. Was im Übrigen auch meiner momentanen Grundstimmung entsprach. Der Ärger über meine Zusage für diese Veranstaltung ließ sich daher wunderbar in Angriffsenergie umwandeln. So teilte ich aus und begann die Lords zu attackieren, und in drei Fällen auch zu wecken. Es fing an mir Spaß zu machen, und den meisten Anwesenden nach und nach auch. Abgesehen von demjenigen, den ich mir gerade vornahm. Es war kurios, ich hatte die ersten zwei Minuten vergeblich damit verbracht, geschriebenes Material vorzutragen. Die folgenden 28 nutzte ich, um zu improvisieren, indem ich die Lords verbal grillte. Kein einziger geschriebener Gag mehr, nicht einer! Man war amüsiert, und ich moderierte schließlich das Jazz-Trio an und mich selber ab. Der Saal johlte und klatschte – ob es mir galt oder dem freudig erwarteten Jazz-Trio? Wahrscheinlich: a little bit of both.

Direkt nach dem Auftritt war ich stolz und überrascht zugleich, es hatte funktioniert.

Beim anschließenden Bier in der Lobby kam der Präsident erneut auf mich zu: »Im Prinzip haben Sie sich ja eine halbe Stunde lang nur über uns lustig gemacht – aber wir fanden es großartig!« Ich nahm dieses seltsame Lob gerne an. Er hielt mir erneut einen Umschlag hin und fragte: »Haben wir Sie eigentlich schon bezahlt?«

Ich überlegte, ob ich zu meinem Old Money auch noch ein bisschen New Money annehmen sollte. Dann antwortete ich aber gönnerhaft: »Behalten Sie das Geld! Ich hab's umsonst gemacht. Geben Sie es dem Jazz-Trio!« So fühlte ich mich doch noch als Gewinner des Abends und ging heimlich triumphierend zum bereitstehenden Bentley.

DING, DONG, LETZTE RUNDE

– Die britische Trinkkultur –

Viele meiner schlimmsten Auftritte haben also eines gemeinsam: ein extrem durstiges Publikum. Vor allem zu Beginn meiner England-Zeit musste ich mich daran erst mal gewöhnen, denn mit solch extremen Exzessen hatte ich nicht gerechnet. Warum nur wird auf der Insel jede Form der Unterhaltung mit Unmengen Flüssigkeit runtergespült? Comedy-Shows, Fußball, Rugby, Dart-Turniere, Theater-Besuche, Konzerte, kein Anlass ohne Vollrausch.

Mein Kumpel Craig aus dem nordenglischen Örtchen Warrington liefert eine wunderbar treffende Erläuterung der Trinkkultur: »Klar saufen wir viel. Wir sitzen auf einer Insel fest und sind eine Nation lustiger, alkoholsüchtiger Seefahrer. Und dazu dieses Wetter.« Letzteres ist natürlich der perfekte Trinkanlass – denn Wetter ist ja immer...

Wer schon einmal einen Abend in einem britischen Pub verbracht hat, kennt die Auswüchse der Trink-Exzesse: Binge-Drinking, also Druckbetankung, ist ein weit verbreitetes Hobby im Inselreich. Die nächtliche Szenerie in den Metropolen Nordenglands ist dabei am sehenswertesten.

Städtereisen zum Stierlaufen nach Pamplona oder zum Karneval in Rio machen viele. Aber kein Ort bietet ein derartiges Spektakel wie Newcastle upon Tyne an einem Samstagabend. Die Stadt ist nicht zufällig die Heimat des legendären englischen Ex-Nationalspielers Paul Gascoigne, dem Inbegriff der Symbiose aus Fußball, Fan und Kneipengang. Immer wenn ich in Newcastle auftrete, freue ich mich auf den Stadtrundgang nach den Gigs. In der Innenstadt sieht es an einem Samstag gegen Mitternacht nämlich aus wie in einer Folge *The Walking Dead*: Tausende Wodka-Zombies schleppen sich durch die Straßen. Halbnackte Frauen auf turmhohen High Heels und Gruppen halbstarker Jungs in engen Hemden, alle ohne Jacke, bevölkern die Szenerie und wanken umher. Die Innenstadt ist für den Straßenverkehr dann komplett gesperrt, nur Taxis, Polizeiautos und Rettungswagen dürfen passieren. Beim Transport gilt: Wer zu besoffen ist, wird vom Taxi nicht mitgenommen. Dann bleiben als mögliche Fahrdienste nur noch die anderen beiden Optionen: Polizei oder Krankenwagen.

Wobei sich alle drei Fahrzeugarten sehr ähneln, der Passagierraum in englischen Black Cabs unterscheidet sich nur unwesentlich von einer Ausnüchterungszelle oder einem Polizei-Transporter. Eine Plexiglasscheibe schützt den Fahrer vor den Passagieren, dazu sind die Taxi-Türen elektronisch verriegelt und können während der Fahrt nicht von innen geöffnet werden. Es ist eine Hochsicherheitskabine ohne Zugriff aufs Cockpit. Die 9/11-Attentate wären mit englischen Taxis nie möglich gewesen.

Doch warum nur trinken die Briten so viel? Die Erklärung ist vielschichtig. Immer wieder angeführt wird die Tatsache, dass es früher eine Sperrstunde gab und somit die Pub-Gänger daran gewöhnt sind, panikartig zu trinken, da die Uhr tickt.

Polizeistunden gab und gibt es jedoch in anderen Teilen der Welt auch, ohne dass dort die Straßen abends zu alkoholischen Minenfeldern würden. Die Münchener Sperrstunde zum Beispiel hatte diese Auswirkungen nie, die Zelte auf dem Oktoberfest schließen sogar schon um 22 Uhr. In England aber bemerkt man beim Betreten eines Pubs sofort, dass die Menschen schneller trinken als in einer Kneipe auf dem europäischen Festland. Das liegt unter anderem am »Round«-Prinzip, so bestellt man auf der Insel immer eine Runde für die gesamte Gruppe. Gehe ich mit vier Freunden in den Pub, werden pro Runde fünf Bier bestellt. Jeder bezahlt einmal für alle, dann ist der nächste dran. Wer nun also sein erstes Getränk am schnellsten ausgetrunken hat, übernimmt meist die zweite Runde. Der schnellste Trinker gibt den Rhythmus vor. Habe ich dann erst ein paar Schlucke von meinem ersten Bier getrunken, bekomme ich direkt den zweiten Pint dazu. Schon habe ich eindreiviertel Bier in der Hand und bemerke, dass ich zu langsam trinke. Jetzt könnte ich einfach eine Runde aussetzen, um ein bisschen Druck aus dem Spiel zu nehmen. Aber das will ich mir bei den Bierpreisen in London nicht leisten. Und weil alle so denken, entsteht ganz schnell das, was ein Fiskalpolitiker eine progressive Trink-Takt-Erhöhung nennen würde.

Doch die Geschwindigkeit ist nicht das einzige Problem, auf das man beim Alkoholkonsum in England trifft. Die Anzahl der Personen einer Gruppe bestimmt zusätzlich die Zahl der Getränke, die ich konsumieren werde. Sind wir zu dritt, und jeder zahlt eine Runde, trinke ich drei Gläser. Zahlt jeder zwei Runden, sind es sechs. Runden-Durchläufe werden eigentlich immer komplett durchgezogen, damit keiner dem anderen etwas schuldig bleibt. Alles dank der hohen Bierpreise und dank dem englischen Fair-Play.

Wie wichtig es dabei ist, eine Exit-Strategie zu haben, erkennt man schnell, wenn man einmal mit einer Gruppe von sieben Freunden loszieht. So trinkt jeder mindestens acht Getränke – ein früherer Ausstiegspunkt ist unmöglich. Zahlt danach jemand die neunte Runde, beginnt der nächste komplette Achter-Durchgang, und der einzelne Teilnehmer steuert prompt die 16-Getränke-Marke an. Und wenn genügend Leute innerhalb weniger Stunden sechzehn Pint-Gläser Bier intus haben – übrigens ziemlich genau das Doppelte der empfohlenen Wochendosis –, geht es mit dem Stadtbild eben leicht bergab, wie im nächtlichen Newcastle.

Je größer die Gruppe, umso teurer wird es zudem. Der Alleine-Säufer hingegen, den man an jedem Tresen sieht, zahlt nur so viel, wie er wirklich trinkt. Er ist der heimliche Gewinner des Systems.

Englische Pubs sind meist schöne Orte voller Tradition, Bilder und antikem Dekor. Jeder Pub hat obligatorisch eine Glocke an der Bar hängen, mit der die »last orders« kurz vor Torschluss eingeläutet werden. Ertönt diese, so weiten sich bei jedem Pub-Besucher die Pupillen, das Adrenalin schießt ins Blut, und die Atmung beschleunigt sich. Ich nehme mich da überhaupt nicht aus. Durch diesen aktivierten Überlebensinstinkt fühlt sich jeder schlagartig wieder nüchtern und bestellt in völliger Selbstüberschätzung noch ZWEI Getränke. Diesmal für sich alleine. Im Ausnahmezustand gilt das Prinzip der Runde nicht mehr. Jeder ist sich nun selbst der Nächste. Wenige Minuten später legen sich die Nahtod-Symptome der drohenden Dürre wieder, der Körper entspannt sich, und alle Gäste bemerken, dass das Pensum von zwei großen Gläsern Bier in weniger als 25 Minuten nicht mehr zu schaffen ist. Der Türsteher hat das Problem aus jahrelanger Erfahrung kommen sehen und verteilt Plastikbecher. Er macht eine klare Durchsage und drängt die Gäste in Richtung Ausgang. Der eben noch willkommene Pub-Gast wird zum Störfaktor, die Stimmung kippt. Nun schütten also alle Anwesenden ihre Getränke in Wegwerf-Gläser um und verlassen beidhändig bestückt den Pub – verärgert über den Rauswurf und voller Reue über das zu viel gekaufte Bier. Die fünf Pfund hätte man besser für die Mitternachts-Pommes oder die Fruit-Machine gespart. Ärger und Reue, eine wunderbare Stimmungsmischung, um die Atmosphäre auf der Straße zu bereichern. Nun strömen diese Enttäuschten fast gleichzeitig aus allen Pubs in die Straßen.

Schön ist anders – aber die Party muss weitergehen. Die Stunde der Night Clubs beginnt...

Dabei ist zu beachten: kein Eintritt mit mitgebrachten Getränken. Auch nicht in Plastikbechern.

Jetzt bieten sich also drei Möglichkeiten:

1. Schnell austrinken, um als Erster in der Night-Club-Schlange zu stehen.
2. Auf der Straße weitertrinken.
3. Nach Hause gehen.

Letztere, rein theoretische Option, sei nur der Vollständigkeit halber erwähnt.

Die meisten entscheiden sich für die ersten beiden Optionen. In den Night-Clubs gibt es verlockende Willkommensangebote, sodass die Versuchung groß ist. Sehr beliebt sind Cocktail-Eimer. Der Plastikbecher am Ende des Pub-Besuchs stellt also einen passenden und sanften Übergang zum nächstgrößeren Gebinde dar.

Will man nun nicht weiterziehen, sondern lieber draußen weitertrinken, so braucht man irgendwann mehr Bier. Jetzt kommt folgendes Problem hinzu: In England wird abends und nachts in Geschäften kein Alkohol verkauft, den gibt es ausschließlich tagsüber. Morgens kann ich im Supermarkt zehn Liter Wodka kaufen, nachts am Kiosk oder an der Tankstelle nur noch kanisterweise Milch.

Ist ja auch logisch. Denn wer tagsüber säuft, ist ja generell kein Problem für unsere Gesellschaft. Wer den ganzen Tag arbeitet und samstagnachts trinkt, der gehört gestoppt.

Kein Wunder also, dass die meisten Partygänger weiter in die Night-Clubs ziehen und sich dort unter Hochdruck weiterbetanken. Schließlich herrscht ständig das Gefühl vor, dass es nicht genug Alkohol gibt: Der Pub macht gleich zu, die Geschäfte verkaufen nichts, der Night-Club lässt uns vielleicht nicht rein. Es regiert die Angst, die Angst vor Trockenheit der Kehle.

Und Trockenheit und England, das passt nun wirklich nicht zusammen.

Wie kann man das Problem lösen?

Gäbe es in England bis tief in die Nacht geöffnete Kneipen, wie in den meisten Ländern Europas, so wäre das Thema von selbst erledigt. Aber dann wäre ein Besuch in Newcastle weniger spektakulär, und die Insel voller »lustiger, alkoholabhängiger Seefahrer« wäre ein Land wie jedes andere. Das kann ja auch keiner wollen.

ERST MAL OBDACHLOS

– Couchsurfing in London –

Wer kein Geld verdient, kann auch kein Geld ausgeben. Und wer kein Geld ausgeben kann, hat ein Problem, eine Herberge zu finden. Dass London teuer ist, wusste ich schon vor meiner Ankunft. Dass hier sogar für einen Liegestuhl im Hyde Park Miete bezahlt werden muss, hatte mich bereits auf einer Wochenendreise als Jugendlicher schnell mit der Realität konfrontiert.

Da in London jeder Quadratmeter kostbar ist, hat so gut wie niemand ein Gästezimmer. Verfügt ein Zimmer über mehr als neun Quadratmeter, wird es als »spacious double room« vermietet. Sechs bis neun Quadratmeter gehen noch als »double room« durch, vier bis sechs Quadratmeter ist dann ein »spacious single room« und unter vier Quadratmeter werden als »live like the locals« beworben. Abnehmer finden sich immer, vermietet wird alles. Für Gäste in der Wohnung bleibt da kein Platz mehr.

Das stellte natürlich am Anfang ein Problem dar. Da ich mir noch nicht einmal eine Vier-Quadratmeter-Legebatterie leisten konnte, musste ich auf die einzig erschwingliche Alternative ausweichen: Couchsurfing. Das klingt abenteuerlich und aufregend. Eigentlich. Bei den Comedians, die ich in London kennengelernt hatte, gab es aber keine Wohnzimmer-Couch zum Surfen. Es gab nicht mal Wohnzimmer, denn alle Zimmer wurden an WG-Mitbewohner vermietet. Die einzige Couch in der Wohnung stand meist in der Küche. Mein Couchsurfing wurde also zum Küchensurfing. Schlafen konnte ich demnach ungestört ab 1:00 Uhr nachts, wenn wir Comedians ins Bett gingen, bis 5:30 Uhr morgens, wenn die bulgarische Mitbewohnerin sich schnell einen Kaffee machte, bevor sie fluchend zur Schichtarbeit aufbrach. Viereinhalb Stunden Schlaf, das klang schon verdächtig nach einem Rock 'n Roll-Lifestyle. Nur etwas anders als gedacht.

Ich konnte meine neu gewonnenen Freunde davon überzeugen, mich für jeweils eine Woche als blinden Passagier zwischen Pfandflaschen und Mülleimer aufzunehmen. Danach war dann auch der Hass der Mitbewohner so groß, dass es für alle Seiten besser war, für immer getrennte Wege zu gehen.

Und dann kam er, der Moment, in dem ich mich in die Engländer verliebte. Mein Zuhause war seit einigen Tagen die Couch meines Comedy-Kumpels Sean in West Norwood, im Süden Londons. Ein Viertel, das »up and coming« ist, was auf Deutsch ungefähr bedeutet: potthässlich und lebensgefährlich. Ein schönes Beispiel für britisches Understatement.

In unserer WG in West Norwood saßen wir am Frühstückstisch und aßen ein »Full English Breakfast«, also das volle Cholesterin-Festival mit Würstchen, Speck, Eiern, Baked Beans, Black Pudding und einer gebratenen Alibi-Tomate. Dazu trinkt man vorneweg in England traditionell einen Orangensaft, um den Körper in gesunder Sicherheit zu wiegen. Wenn dieser sich dann auf einen angenehmen Vitaminschub einstellt, wird er schnell mit diversen Fettprodukten attackiert. Man verlädt dabei den Körper in etwa so, wie der Fußballspieler den Torwart: links gucken, nach rechts schießen. Eigentlich ein Wunder, dass die Engländer trotz des Meisterns dieser Technik nicht besser im Elfmeterschießen sind.

Wir saßen also beim Full English Breakfast, als Tom, Seans zwölf-jähriger Sohn, der in der Schule Deutsch lernte, mich mit seiner zarten, noch nicht gebrochenen Stimme fragte: »Christian, would you like a piece of toast?«

Wie nett, dachte ich, welche Gastfreundschaft. »Tom, why don't you ask Christian in German?«, fragte daraufhin sein Vater, stolz auf die Sprachkenntnisse des Sohnes.

Der Junge zögerte kurz, holte tief Luft und brüllte mich mit aufgesetztem deutschem Akzent in Militär-Lautstärke an: »VOULD JU LEIK A PIEZ OF TOOOST?«

In dem Moment machte es klick: genau mein Land, genau mein Humor.

Die zweite Woche verbrachte ich in einer millionenteuren Stadtvilla im vornehmen Chelsea in West-London. Wie kam ich als Komiker dazu, dort zu residieren, wo eigentlich alter englischer und neuer russischer Reichtum Tür an Tür wohnen? Mein Komiker-Freund Jools hatte sich eine wohlhabende Jahresabschnittsgefährtin angelächelt und residierte jetzt bei ihr. Prompt lud er mich ein: »Komm vorbei! Sie hat Platz ohne Ende und ist sowieso gelangweilt. Die U-Bahn-Station heißt Fulham Broadway.«

Ich nahm die Einladung an. Schon deshalb, weil ich sehen wollte, wie schickimicki Chelsea wirklich war, und ob es in dieser Milliardärsgegend tatsächlich eine U-Bahn-Station gab, und wenn ja, für wen?

Für viele, wie sich beim Aussteigen herausstellen sollte. Hunderte. Tausende! Direkt an der U-Bahn liegt nämlich das

Stadion an der Stamford Bridge, in dem der FC Chelsea seine Heimspiele austrägt. Wie es der Zufall so wollte, stand an diesem Abend ein Pokalheimspiel an, damals noch mit Michael Ballack in blauen Farben. Als ich aus der U-Bahn stieg, hatte ich eine SMS auf dem Handy: »Problem. We're not home yet. Can you kill two hours?« Danke, Universum. Schnell eine Karte auf dem Schwarzmarkt gekauft und ab ins Stadion. Ballack spielte nicht, Chelsea gewann 5:0, und dennoch war die Stimmung passend zum Stadtteil: vornehm. Immerhin hatte ich die zwei Stunden Wartezeit herumbekommen. Ab also zur Villa. Dort angekommen, stellte sich heraus, dass die vornehme Dame mehr als alleine lebte, nämlich in einer Einsamkeits-WG. Sprich: eine Single-Frau mit Katze. Dazu kamen dann jetzt mein Kumpel Jools und nun ich. Ich erhielt mein eigenes Zimmer und konnte es kaum glauben, ein absolutes Novum. Und dann noch im teuersten Stadtteil. Hier mussten Öl-Dollar oder Drogengelder im Spiel gewesen sein. Fragen nach der Herkunft des Geldes hatte ich mir aber verboten: »Wes Brot ich ess, des Lied ich sing«, gilt vor allem beim Couchsurfing. Also Klappe halten und die komfortable Situation genießen. Doch der Komfort sollte schnell enden. Mitten in der ersten Nacht wurde ich in meinem Nobelquartier wach, mit knallroten Augen, Atemnot und Juckreiz im Gesicht. War ich allergisch gegen Luxus, gegen Stadtvillen, gegen Reichtum? Ich quälte mich durch eine schlaflose Nacht und fuhr am Morgen keuchend ins Krankenhaus. »Eine Allergie gegen teure Villen kann ich nicht feststellen. Aber Sie haben eine sehr schwere Katzenhaarallergie, inklusive Asthma. Sie müssen aus dem Haus raus, die Katze kann Sie umbringen!«, sagte mir der Arzt.

Ich werde doch nicht den besten Couchsurfing-Platz aller Zeiten verlieren – wegen einer Katze! Noch dazu einer stinkreichen. Mir war klar, dass ich nicht aufgeben würde. Her mit den Allergietabletten, her mit den Drogen. So nahm ich alle Pillen und Sprays, die der Arzt mir verschreiben durfte, und blieb. Die zweite Nacht, alles beim Alten. Nach wenigen Stunden wurde ich wach, erneut mit Atembeschwerden und brennendem Juckreiz. Ich öffnete meine Augen, und was sah ich: genau vor meinem Gesicht saß die Katze. Sie guckte mich an, ich sie, die Katze wiederum mich. Und sie nieste. Die Katze war auch auf mich allergisch!

Es war also ein Unentschieden: England-Deutschland 1:1. Am nächsten Tag habe ich sie aus dem Haus ausgesperrt und somit in der Verlängerung gewonnen.

Die dritte Woche, die dritte Couch.

Das Gegenteil von Chelsea ist Tottenham, eines der ärmsten und unsichersten Viertel Londons. Noch mehr »up and coming« als das mir bereits gutbekannte West Norwood. Neben Peckham, Brixton und Croydon zählt Tottenham zu den Stadtteilen, in denen man sich auch als armer Künstler noch eine Bleibe leisten kann. Das eingesparte Mietgeld geht dann allerdings bei der Anschaffung von zusätzlichen Türschlössern und Pfefferspray drauf. Mein Comedy-Kumpel Johnny Armstrong, der mittlerweile in Deutschland große Erfolge feiert, wohnte mittendrin – damals noch ganz ohne Bart. Er hatte mich vorgewarnt, die Gegend entspräche nicht den gewohnten Sicherheitsstandards eines westfälischen Kleinstädters. Das Haus sei auch nicht unbedingt eine Wohn-Oase, da er es sich mit zwei verbitterten Billiglohn-Arbeiterinnen teilen muss. Man spreche schon seit Wochen nicht mehr miteinander, dazu komme eine recht verwohnte Bausubstanz. Ich bereute jetzt schon, die Couchsurfing-Reihenfolge falsch angegangen zu sein: Das Einzelzimmer in Chelsea hätte ich mir für später aufheben sollen, trotz der katzenbedingten Nahtoderfahrung. Aber einem geschenkten Gaul schaut man eben nicht ins Maul, vor allem wenn er arm und bewaffnet ist.

So stellte ich mich also auf eine spannende Woche im Norden der Stadt ein und sollte nicht enttäuscht werden. Bereits der Weg von der U-Bahn-Station zu Johnnys Haus war interessant, überall in Bahnhofsnähe standen junge Männer ohne Reiseabsicht herum, lauter kleine Ich-AGs, die diverse Waren anzubieten hatten. Sie versicherten mir auf meine Nachfrage hin, dass einige Substanzen sogar gegen Katzenallergie helfen würden.

Ich ging trotzdem auf kein Handelsangebot ein und marschierte stattdessen auf kürzestem Wege zum Haus. Johnny öffnete die Tür, was sich circa zwei Minuten lang hinzog. Ich hörte ein Kratzen und Rasseln, dazu ein nordenglisches Fluchen. Als ich die vier Schlösser sah, war mir klar dass Johnny dabei war, alle möglichen Schlüssel-Schloss-Kombinationen durchzugehen. Das dauerte. Ein Stochastik- und Kombinatorik-Experte könnte erklären, wie viele Kombinationen es gab. Aber auch er läge daneben, denn in seiner Berechnung würde der Faktor fluchender Engländer fehlen. Eine klassische Lose-Win-Situation. Johnny war genervt, aber ich freute mich, lernte ich doch wieder mal neue Vokabeln. Wir beschlossen direkt nach Öffnung der Tür und anschließender Begrüßung, die Schlüssel farbig zu markieren, denn wir merkten, dass die vier Schlösser zwar gegen Einbruch schützen, aber auch den eigenen Ausbruch unmöglich machten. Johnny zeigte mir mein neues Zuhause: eine 1,80 m lange Couch in der Küche, für einen Zwei-Meter-Menschen wie mich immerhin fast ausreichend. Was sind schon zehn Prozent Abweichung, da wollte ich mal nicht zu deutsch sein.

Die embryonale Schlafhaltung ist ja sowieso die beste. Ich lebte mich also schnell ein und lernte auch Johnnys Mitbewohnerinnen kennen. Es herrschte eisige Stille, so muss sich ein

Scheidungsjahr anfühlen. Die zu kurze Schlafstätte, die nicht vorhandene Kommunikation und die Anzahl der Schlösser ließen das Haus zu meinem persönlichen Alcatraz werden. So viele wertvolle Erfahrungen in so kurzer Zeit.

Am zweiten Tag hatte ich dann einen wichtigen Auftritt. Mein erster bezahlter Gig an einem Samstag in London. Achtzig Pfund für ein 20-Minuten-Set im SoHo Comedy Club, ein wichtiger Schritt. Als etablierter Comedian absolviert man gleich mehrere dieser Auftritte an einem Samstagabend. Es war also ein erster Schritt in Richtung meines erklärten Berufsziels – mit der Aussicht, irgendwann nicht mehr in Embryonal-Haltung auf Sofas schlafen zu müssen. So nutzte ich den Tag, um mich vorzubereiten: Material durchgehen, Set-Liste erstellen, die Gags noch mal laut aufsagen. Nach einer Weile fiel mir die (angeschimmelte) Decke auf den Kopf, und ich entschied mich, das Haus zu verlassen und mir die Beine zu vertreten. Beim Spazierengehen kann man wunderbar seinen Text vor sich hin murmeln und kommt sich etwas weniger blöd dabei vor, als wenn man zu Hause mit sich selber spricht. In den Straßen einer Großstadt fällt man ja nicht auf, wenn man Selbstgespräche führt, es laufen genug andere Bekloppte herum. Außerdem ist sowieso jeder mit sich selbst beschäftigt, vor allem in einem Stadtteil, in dem Augenkontakt besser vermieden wird. Da gibt es, ähnlich einer JVA, nichts Provozierenderes, als jemanden anzulächeln. Nur wer ernst und verbittert guckt, fällt in der Masse nicht auf. Ich war früher in Deutschland jeden Morgen mit der U-Bahn zur Arbeit gependelt, das Ernstgucken sollte also kein Problem sein.

So lief ich eine Weile sinnlos umher. Ich sage laufen, denn von Spazierengehen konnte in der Gegend eher nicht die Rede sein. Nach circa einer Stunde und diversen Kaufangeboten an dunklen Ecken kehrte ich zum Haus zurück. Mit meinen vier farbigen Schlüsseln entriegelte ich ein Schloss nach dem anderen. Doch die Tür ließ sich nicht öffnen. Ich probierte es erneut. Alle vier Schlösser waren definitiv entsperrt, aber es tat sich nichts. Wiederholt schaute ich die Tür von oben bis unten an, auf der Suche nach der Ursache des Problems. So stand ich dort für weit mehr als zehn Minuten und muss ausgesehen haben wie ein Einbrecher, ein sehr dilettantischer obendrein.

Nachdem ich die Tür ein weiteres Mal inspiziert hatte, erkannte ich den Grund des Übels: ein fünftes Schloss! Da stand ich mit meinen vier Schlüsseln vor der 5-schlössigen Tür. Fünf minus vier ist eins. Ein fehlender Schlüssel zu viel. Da ist es egal, wie viele Schlösser man schon entriegelt hat. Die Lage war genauso übel, wie schlüssellos vor einer Tür mit nur einem Schloss zu stehen. Es gingen mir viele Fragen durch meinen ausgesperrten Kopf: Wer braucht eigentlich fünf Schlösser? Kommen Einbrecher nicht sowieso durchs Fenster? Und wer zum Teufel hat das fünfte Schloss abgeschlossen? Ich hatte doch vor einer Stunde nur meine vier Schlüssel benutzt. Es musste eine der beiden Mitbewohnerinnen gewesen sein. Die Schicht heute war wohl kürzer.

Mein Handy lag natürlich im Haus, genau wie meine Oyster-Card für die U-Bahn, mein Notizbuch und meine Kontaktlinsen für den Auftritt heute Abend. Ich musste ins Haus, aber wie? Da fielen mir die zahlreichen Telefonzellen ein, die ich hier in der Gegend bemerkt hatte. Diese inzwischen selten gewordenen roten Häuschen sind zwar fast gänzlich aus dem Londoner Stadtbild verschwunden, doch in einem Viertel mit florierendem »Straßenhandel« schienen die Zellen nach wie vor gut angenommen zu werden. Es lebe die Anonymität! Ich ging also zur Telefonzelle und rief Johnny an, dessen Nummer ich gottseidank auf einem Zettel im Portemonnaie notiert hatte. Er ging schnell ran und sagte mir, dass er bis spätabends nicht in der Stadt sei, mir also nicht helfen könne. Eine der Frauen muss die Tür verschlossen haben, obwohl man sich –

mangels Nachschlüssel – schon vor Monaten darauf geeinigt hatte, das ominöse fünfte Schloss nicht mehr zu benutzen. Johnny vermutete, es müsse seiner Hausfeindin aus Nachlässigkeit, Dummheit oder Rache heraus passiert sein.

»Aber ich muss da rein«, sagte ich.

»Warte bis heute Abend nach dem Auftritt.«

»Ich muss da vorher rein. Ich habe meine Oyster-Card da drin, meine Kontaktlinsen, alles. Mein Notizbuch!«

Das letzte Wort stieß beim Komiker-Kollegen sofort auf Verständnis.

»Oh nein, das Notizbuch auch? Scheiße!«

Endlich.

»Du musst bei uns einbrechen! Klettere durchs Badezimmer-Fenster rein. Die Nachbarn haben eine Leiter. Die Nachbarn rechts! Das ist eine bolivianische Familie, du sprichst doch Spanisch?«

»Ja. Ist das dein Ernst? Einbrechen?«

»Absolut. Aber denk dran: die rechten Nachbarn! Die linken sind gefährlich, der Typ saß schon mehrmals im Knast.«

Zugegeben, mein erster Gedanke war: Vielleicht sollte ich doch den linken Nachbarn fragen? Der kennt sich mit Schließanlagen sicher besser aus.

Ich verwarf den Gedanken aber schnell wieder und klingelte bei der bolivianischen Großfamilie.

Es war sehr laut im Haus, ich klingelte abermals. Nichts. Dritter Versuch, das gesamte Haus verstummte, aber niemand kam. Ich klingelte erneut. Es war wenig überraschend, dass mir in einer Gegend, in der unangekündigter Besuch nicht unbedingt etwas Gutes bedeutet, nicht gleich geöffnet wurde. Schließlich ging die Tür einen kleinen Spalt weit auf:

»¿Sí?«

»Hola, soy Christian y vivo al lado. Somos vecinos«, stellte ich mich als Nachbar vor.

Der Mann, von dem ich bisher nur die Nasenhaare gesehen hatte, schloss die Tür wieder ein bisschen.

Ich erklärte, dass ich seit gestern nebenan lebte und nun beabsichtigte, mit ihrer Leiter in mein neues Zuhause einzusteigen. Plötzlich öffnete sich die Tür ganz, und ich sah, dass mir sechs Personen gebannt zuhörten. Um meine Glaubwürdigkeit zu unterstreichen, holte ich meinen Ausweis hervor. Die gesamte Familie reagierte panisch: keine Dokumente, keine Papiere, nichts Offizielles! In Ordnung, ich steckte meinen Ausweis wieder ein. Die Kinder fanden mittlerweile Gefallen an der Geschichte und waren begeistert, dass ein spanischsprechender deutscher Riese nebenan einbrechen will. Die Familie führte mich in ihren Garten, half mir mit der Leiter und feuerte mich dabei an, wie ich durch unser leicht geöffnetes Badezimmerfenster im ersten Stock einbrach. Ein großes Hallo. Oben angekommen, bedankte ich mich freundlich winkend bei den Kindern, die sichtlich amüsiert die Leiter wieder wegräumten und schließlich im Haus verschwanden. Ich hatte es geschafft und konnte endlich duschen, meine Sachen packen und zum Auftritt aufbrechen. Als ich versuchte, die Haustür zu öffnen, wurde mir meine geniale Denkleistung schlagartig bewusst. Ich war zwar erfolgreich ins Haus eingebrochen, hatte aber überhaupt nicht daran gedacht, wie ich denn wieder rauskommen sollte. Hinzu kam plötzlich auch noch der Faktor Zeit: Ich musste innerhalb der nächsten 15 Minuten in der U-Bahn sitzen, um es noch pünktlich zum Auftritt im SoHo Comedy Club zu schaffen. Panikattacke in 3-2-1...

Die Tür ließ sich beim besten Willen nicht öffnen. Kein Wunder, war das fünfte Schloss nach wie vor verriegelt, und ein Schlüssel weit und breit nicht zu finden. Mir wurde klar, ich musste ausbrechen. Über Bolivien, das war der einzige Weg.

Also ging ich hoch ins Badezimmer und versuchte, die Aufmerksamkeit der Familie nebenan zu gewinnen. Nichts. Sie waren alle wieder ins Haus gegangen, der Garten menschenleer, die Leiter stand wieder unerreichbar an ihrem Platz. Die einzige Alternative war nun die andere Seite, der gefährliche Nachbar. Immerhin grenzte sein Garten direkt an eine Einfahrt, die wiederum unmittelbar auf die Straße führte. Und es schien niemand zu Hause zu sein. Ich musste also nur aus einem unserer Fenster steigen, schnell über zwei Zäune klettern, die Einfahrt entlang laufen und schon war ich draußen. Doch was mache ich, wenn er Hunde hat? Ich warf also einen Stock über den Zaun: nichts. Noch einen Stock, diesmal einen größeren: wieder nichts. Also wohl keine Hunde – oder zumindest keine, die Stöckchen mögen. Ich nahm Anlauf, sprang den gut zwei Meter hohen Zaun an und kletterte hinüber. Ich rannte durch den leeren Garten und wuchtete mich auf der anderen Seite am nächsten Zaun hoch. Dabei spürte ich einen stechenden Schmerz in der Hand, zog mich dennoch über die Brüstung und landete auf der anderen Seite in der Einfahrt. Blut, da war überall Blut: an meinem Arm, an meiner linken Hand und auf meiner hellen Hose. Nun schnaufte ich wie nach einem Marathonlauf, hielt nach dem rostigen Nagel Ausschau, der mir die Hand aufgerissen hatte, und erblickte dabei in der Dunkelheit ein starr blickendes, leuchtendes Paar Augen. Unser Nachbar, der Ex-Insasse, stand am Ende der Einfahrt und schrie: »Stop! What are you doing here?« Ich guckte auf meine blutende Hand, guckte auf den Zaun, guckte ihn an, erkannte meine Chancenlosigkeit und rannte los. Dabei schrie ich: »It's not what it looks like!«

Wie einst Maradona (»Wenn wir im Dunkeln gut sind, sind wir im Hellen unschlagbar!«) rannte ich hasenartig im Zick-Zack durch die Nacht und wartete sekündlich auf den Kugelhagel.

Bis heute kann ich es kaum glauben, aber irgendwie schaffte ich es tatsächlich ohne Schuss-Verletzungen zum Auftritt.

Für die Zukunft hatte ich folgende Lektionen gelernt: Unter Lebensgefahr bin ich ein besserer Läufer, Einbrechen ist leichter als Ausbrechen, und generell gilt, wenn möglich immer über Bolivien flüchten.

NOT TOO BAD

– Das Schulenglisch stößt an seine Grenzen –

What can I do for you, love?«
      Hatte sich die bildhübsche Verkäuferin im Londoner Geschäft etwa in mich verliebt? Und das in meiner ersten Woche in der Stadt? So charmant war ich in deutschen Geschäften noch nie angesprochen worden. Ich wusste gar nicht, wie ich reagieren sollte, und erwiderte verlegen, dass ich mich nur umgucken wolle. Sie entgegnete zärtlich: »All right, hon.«

Hon? Jetzt war ich innerhalb von einer Minute von einem Fremden zu »Love« und schließlich zu »Honey« geworden. Hatte ich hier etwa die Frau meines Lebens gefunden? War es Liebe auf den ersten Blick?

Die nächsten Minuten konnte ich mich kaum auf die Auslage konzentrieren. Ich wühlte verlegen auf den Warentischen und überlegte mir meinen nächsten Schritt. Sollte ich sie fragen, wann sie Feierabend hatte, um sie dann auf einen Kaffee einzuladen? Oder wäre es besser, direkt nach ihrer Telefonnummer zu fragen? Das Risiko, einen Korb zu bekommen, war schließlich minimal, hatte sie doch den ersten Schritt gemacht.

Ich nahm meinen Mut zusammen und ging auf sie zu. Doch genau in dem Moment betrat ein weiterer Kunde den Laden.

Ich drehte ab und beschloss, mit meinem Manöver zu warten, bis der andere Besucher das Geschäft wieder verlassen hatte. Und dann passierte es.

»Hello darling. Can I help you?«, wandte sie sich an den Neuen.

So eine war sie also.

Ich war am Boden zerstört. Entweder war die Verkäuferin polyamourös, oder sie benutzte die Worte »Love«, »Honey« und »Darling« auch außerhalb des eigenen Liebeslebens.

Ich verließ frustriert das Geschäft und ging in den nächsten Laden. Das erschien mir die beste Methode, um über die gescheiterte Romanze hinwegzukommen.

Im Nachbargeschäft angekommen, begrüßte mich auch dort die Verkäuferin mit »Love«. Jetzt war ich völlig verwirrt. Was für eine Shopping-Meile war das denn hier?

So eine Ansprache erwartet man als Kunde vielleicht beim Bummel durchs Amsterdamer Rotlichtviertel, aber doch nicht beim Sockenkauf am helllichten Londoner Nachmittag. Andererseits hatten die Damen ja recht, wer braucht schon noch ein weiteres Paar Socken? All you need is love. Ich hatte verstanden. »Love« und »Hon« sind einfach Teil des britischen Umgangstons. Das gefiel mir auf Anhieb gut. Als ich abends im Pub ein Bier bestellte, sprach ich den Wirt also direkt mit »Love« an, worauf der mir den Weg in den »Gay District« erklärte und nach meinem Protest noch ein paar Worte zur korrekten Nutzung der Wörter »Love« und »Honey« verlor. Ich hatte verstanden.

Inzwischen verwende ich »Love« und »Honey« sogar, ganz britisch, in offiziellen E-Mails. Natürlich nur, solange der Empfänger weiblich ist – und kein Gastwirt. Und vor allem natürlich bei Sockenverkäuferinnen.

E-Mails und Textnachrichten unter Freunden, guten Bekannten oder engen Geschäftspartnern beschließt der Schreibende in England übrigens mit einem oder mehreren X. Das X steht dabei für einen Kuss. Ein O kann noch dazukommen, was für eine Umarmung steht.

So enden E-Mails oft mit einem skurrilen Mix aus XXOXOX, der eher an einen zensierten Subtext oder die Unterschrift eines Legasthenikers erinnert als an eine Signatur. Sieht komisch aus, kommt aber von Herzen.

Nach Auftritten in Deutschland fragen mich Zuschauer oft: »Und in England trittst du dann auf Englisch auf?« Ich sage dann: »Nein, die meisten Engländer sprechen sehr gut Deutsch.«

Erstaunlich viele Menschen glauben mir das. Dabei ist das natürlich ausgemachter Unsinn. Die Briten selber sagen in ihrer typischen Selbstironie bei jeder Gelegenheit, dass sie sprachlich sowohl unbegabt als auch ignorant seien. Selbst nach fünf Jahren Deutsch-Unterricht kommt dann höchstens ein »guten Tack« als Überbleibsel heraus.

Es ist natürlich wenig verwunderlich, denn bei den Briten kommen gleich drei fremdsprachenverhindernde Faktoren zusammen:

Erstens, man war mal ein Weltreich, das allen eroberten Ländern die eigene Sprache aufzwang: »Nice to meet you. We came to offer you a deal. We get your country, you get our language.« Und dieser Deal war nicht verhandelbar.

Zweitens, man ist eine Insel, hat also keine Landesgrenzen mit einem anderen Sprachraum. Und da lässt sich das Königreich auf keine Kompromisse ein. Die einzige Landverbindung aufs europäische Festland wurde daher vorsorglich am Meeresboden geschaffen. So etwas lässt sich schließlich im Krisenfall schnell wieder ans Meer zurückgeben. Dann schließt man ganz einfach die Tür nach Europa, indem man die Tür der Schleuse öffnet.

Drittens, die ganze Welt hat sich auf Englisch als kleinsten gemeinsamen Nenner geeinigt.

Was für alle Seiten praktisch und bequem ist, quasi sprachliches Fast Food. »I'm loving it.«

Es spricht also vieles dafür, als Engländer keine weiteren Sprachen zu lernen.

Und wer tut sich diesen Aufwand schon freiwillig an, wenn er nicht muss? Vokabeln, Grammatik, Sprachkurse, Rückschläge und Demütigungen...

Eine fremde Sprache zu lernen ist ein Mammut-Projekt. Und das bewältigt man am besten in drei Schritten. Zuerst kommt die passive Kenntnis, also das Verständnis beim Lesen und Hören. (»Hi, I am Sally King. I am from Hatfield. Hatfield is in England«, so begann es damals in meinem Englisch-Buch.) Da sind schnelle Erfolgserlebnisse zu erwarten. Und so macht der Sprachschüler dann hochmotiviert weiter.

Denn ist dieser Teil einigermaßen gemeistert, zündet Stufe Zwei der Idiom-Rakete, der aktive Teil, also das eigene Sprechen. Dazu gehören neben einer guten theoretischen Grundlage und einer ordentlichen passiven Kenntnis der Sprache (»He/She/It, das S muss mit«) vor allem Mut – und im Idealfall ein paar Gläser Bier oder Wein. Das macht locker und löst die Zunge. Wer zu viel zögert und Angst vor Fehlern hat, der kommt nie auf einen grünen Zweig. Deswegen bringt ein Auslandsaufenthalt von drei Monaten auch wesentlich mehr als ein dreijähriger Sprachkurs in der Heimat. Noch besser ist da nur eine dreiwöchige Affäre mit einer Native-Speakerin. Wobei dabei dann wieder eventuelle Alimente-Zahlungen ins Gewicht fallen. Doch selbst das kann man dann großzügig hinnehmen, wenn man dafür im Gegenzug lernt, wie die »Düsseldorfer Tabelle« in anderen Ländern heißt. Always look on the bright side of life.

Der im Normalfall beste Weg führt also über einen Aufenthalt im jeweiligen Sprachraum.

Wobei auch hier natürlich Dinge zu beachten sind. So ist ein dem Auslandsaufenthalt vorgeschalteter Sprachkurs immer sinnvoll, um mit einer gewissen theoretischen Grundlage anzureisen. Außerdem ist es natürlich wichtig, dass man ins richtige Land reist.

Man will nicht wie der Amerikaner enden, der monatelang Spanisch paukt, um dann in Brasilien zu landen: »OMG, they speak Portuguese here?«

Sind die ersten beiden Phasen erfolgreich überstanden, hat man das Gefühl, in der Sprache sicher zu sein, man spricht sie nun flüssig oder, auf Englisch: fluent. Auch hierin findet sich wieder der kleine Reminder: Ein Schluck Bier hilft die Fremdsprache zu meistern.

Wer eine Sprache nun flüssig spricht, kann natürlich ganz wunderbar in ihr konversieren und sich sogar – entsprechende Visa- und Reisepassregelungen vorausgesetzt – im jeweiligen Sprachgebiet niederlassen. So wie ich es in England gemacht habe. Aber schon nach kurzer Zeit im neuen Land fällt auf, dass es noch eine dritte Phase des Sprachverständnisses gibt, das echte Verstehen.

Denn etwas wörtlich zu begreifen ist eine Sache, aber tatsächlich zu wissen, was die Muttersprachler damit meinen, eine ganz andere.

Die Nuancen, die Untertöne, die Feinheiten einer Sprache erkennt in manchen Fällen selbst der Muttersprachler nicht. Und das soll ich nun ausgerechnet als kulturfremder Neuling in dieser Sprache meistern? Na, vielen Dank. Oder besser: Thank you, hon!

Da helfen nur Psychologie, Geduld, viele Milieu-Studien – und natürlich wieder: ein Glas Bier. Und mit der Methode laufe ich in England natürlich offene (Pub)-Türen ein.

Zwar spricht, wie gesagt, der Großteil der Engländer keine Fremdsprache, aber ich bin ja auch nicht auf die Insel gegangen, um dort Deutsch zu unterrichten, sondern um Englisch zu lernen.

Ich sauge also auf, werde zum Sprachschwamm, zum language sponge, und versuche dadurch mein Verständnis der Sprach-Feinheiten zu verbessern. Davon ist das Englische sicher durchsetzter als die meisten anderen Sprachen, Direktheit gibt es nämlich auf der Insel nicht. Denn in England ist Höflichkeit sehr wichtig. Und wer höflich ist, ist nicht direkt. Daher ähnelt ein Gespräch mit Briten oft einem Dechiffrier-Spiel. Im Prinzip ähnlich dem Analysieren des Gesanges der Buckelwale. Was will mir mein Gegenüber wirklich sagen? The possibilities are endless.

In den Worten der Zeugnissprache: Der Erfinder der englischen Direktheit bemühte sich stets.

Nach einigen Jahren Entschlüsselungsarbeit sehe ich mittlerweile Teilerfolge. Ein wesentlicher Punkt ist das britische Understatement. Redet jemand über ein Luxusauto oder eine Traumimmobilie, ist diese »not too shabby« oder »quite alright«.

Wörter wie »awesome« oder »great« benutzt in diesem Zusammenhang kein Brite. Man ist schließlich nicht in Amerika. Der Engländer bemüht solch offensichtlich positive Attribute nur im Falle des absoluten Gegenteils. Verliert jemand sein Portemonnaie, ist das »great«.

Zum Understatement hinzu kommt also der Sarkasmus. Und die Höflichkeit.

Würfelt man diese drei Sprachkniffe zusammen, ergibt sich für das Gespräch im Königreich eine einfache Regel: Einfach immer das Gegenteil von dem sagen, was gemeint ist. Vor allem in der Öffentlichkeit.

Ist die Suppe kalt, flucht der Brite seine Tischnachbarn an und regt sich furchtbar auf, im inneren Kreis. Kommt der Kellner hinzu und fragt, ob alles in Ordnung sei, kehrt der Fassaden-Brite im Kunden zurück:

»Yes, it's lovely, thanks.«

So gut wie nie wird ein Blick ins wirkliche Seelenleben gewährt. Es geht immer um Form, Stil und Anstand – außerhalb von Pubs, Fußballstadien und Comedy-Clubs ist den Briten die Konfrontation fremd, da ist man ganz asiatisch. Innerlich mag eine Person brodeln, nach außen hin heißt es höflich bleiben, immer die Umgangsformen wahren. Der Blick hinter die Vorhänge wird verwehrt. Und genau darum geht es beim Kennenlernen der Seele einer anderen Kultur. Das Ziel ist es, vom Besucher zum Mitbewohner zu werden. Weg mit dem Vorhang!

Ich will dabei Sprache, Umgangsform sowie gesellschaftliche Seele der Gastgebernation verstehen und meistern. Erst wenn ich als Zugereister das Gefühl habe, ebenjene Seele des Landes verstanden zu haben, erst dann habe ich den Zugang zur Kultur gefunden. Und ob ich dann noch mit Akzent spreche oder ohne, ist zweitrangig. Es geht nämlich nur bedingt um Sprache. Viel wichtiger als die gemeinsame Sprache ist die gemeinsame Persönlichkeit.

Den Humor einer Nation zu verstehen und in meinem Falle beruflich auszuüben hat daher wenig mit linguistischen Fähigkeiten zu tun.

Wenn mir Zuschauer in England sagen, dass ich den britischen Humor und die britische Kultur perfekt verstanden hätte, so freut mich das wesentlich mehr, als wenn sie mich zu meinem sehr guten Englisch beglückwünschen.

Ich bin kein Dolmetscher, ich bin Komiker. Die Sprache ist Mittel zum Zweck, aber sie ist nicht der Zweck an sich.

Trotzdem will ich natürlich einigermaßen fehlerfrei reden. Wobei ein hier und da gemachter Übersetzungsfehler natürlich charmant und lustig wirkt.

Und wenn solche Kleinigkeiten die Menschen zum Lachen bringen, ist ja schon wieder ein Ziel erreicht – wenn auch unfreiwillig.

Als ich anfangs jemanden fragte, was genau er für einen Hund habe, sorgte das für einen großen Lacher. »What race is your dog?«, fragte ich.

Und so ein Fehler ausgerechnet von einem Deutschen. Hätte ich breed gesagt, wäre es korrekt gewesen, aber eben nicht lustig.

Diese Fehler in der zu wörtlichen Übersetzung sind mir als Komiker also zu guten Freunden geworden. Dabei heißen sie eigentlich False Friends, und davon gibt es reichlich.

So bedeutet das englische Wort sensitive auf Deutsch sensibel. Sensible hingegen heißt ins Deutsche übertragen: vernünftig. Vernünftig ist also der, der sensibel übersetzt.

Dabei lauern die Fallen überall. Dass Chips in England Crisps heißen, hatte ich zwar schon als Schüler gelernt. Dass der Brite aber Chips sagt, wenn er dicke Pommes will und Fries bei Dünnen, hatte ich zu Beginn so nicht auf der Rechnung. Und ob die dümmsten Bauern die dicksten Chips haben, ist mir nach wie vor nicht klar.

Aus amerikanischen Filmen kannte ich den Begriff »Fag« als Schimpfwort für Schwule. Als ich in England ankam, war meine Verwirrung groß. Mein Kumpel Sean sagte mir im Pub: »I'll pop out for a quick fag.«

Wie bitte? Ich dachte Sean wäre verheiratet – mit einer Frau. Und nun ging er raus, auf einen Quickie mit einem Mann? Ich war sprachlos. Als er nach Nikotin riechend wieder kam, hatte ich gelernt: »A fag is a cigarette, isn't it?« Sean nickte lachend.

Ähnlich ging es mir beim Erlernen eines der englischsten aller Begriffe. Bevor ich auf der Insel ankam, hatte ich das Wort beim Anstoßen mit internationalen Freunden benutzt: cheers!

Kaum in England angekommen, war ich irritiert. Zwar wusste ich, dass in Großbritannien gerne mal einer gehoben wird. Aber dass der vermeintlich ernste Grenzbeamte am Heathrow Airport mir meinen Personalausweis zurückgibt und mich mit der britischen Variante des »Ein Prosit der Gemütlichkeit« begrüßt, hatte ich so nicht erwartet. Aus dem ernsten Beamten wurde ein bierernster: cheers!

Schnell wurde mir klar, dass »cheers« gleichbedeutend ist mit »thank you«, was ich sofort sehr sympathisch fand, deutet es doch unterschwellig den sehr britischen Wunsch nach einem Pint an.

Die englische Prost-Variante wird aber nicht nur mit netter Intention benutzt. Eine beispielhafte Situation dafür ist das Aufeinandertreffen zweier Fremder. Einer oder beide passen nicht auf, schon stößt man aneinander. Nun muss man wissen, dass es in England zum guten Ton gehört, sich zu entschuldigen, wenn man aus Versehen jemanden anrempelt. Es gehört allerdings auch zum guten Ton, sich zu entschuldigen, wenn man angerempelt wird. Beide Parteien entschuldigen sich also im Rempelfall. Sorry, sorry – eigentlich ganz einfach, so entgeht man der Schuldfrage und dem Konflikt.

Nun ist es aber manchmal so, dass die Schuld ganz eindeutig bei einem der beiden Rempler liegt. Dann sagt der Angerempelte natürlich nicht sorry, sondern bemüht die britische Allzweckwaffe, den Sarkasmus: »Cheers!«.

Und so wird das Danke-Prost vom netten Wort zum verbalen Mittelfinger.

Aber irgendwie passt das Wörtchen ja doch, geht es doch auch hier ums Anstoßen.

Wer oft cheers sagt, trinkt viel. Und wer viel trinkt, muss häufig austreten. Vielleicht kommt daher mein Lieblingsbegriff im britischen Englisch: »taking the piss«.

Das hat nichts mit dem »Loo«, also dem britischen Wort für Toilette zu tun.

»Taking the piss« heißt, sich über etwas oder jemanden lustig zu machen. »Taking the mickey« ist die etwas familienfreundlichere Variante.

So kommt es vor, dass sich ein Zuschauer nach der Show lobend darüber äußert, dass ich den Zwischenrufer in seine Schranken gewiesen habe: »I liked it when you took the piss out of that heckler, mate.«

Womit wir beim wichtigsten Wort Englands angekommen wären, denn ohne »Mate« geht nichts. Kein Satz, keine E-Mail, kein Telefonat verläuft »Mate«-frei. Wo der Amerikaner »Buddy« sagt, greift der Brite zu »Mate«. Zum einen drückt es Zuneigung und Freundschaft aus, es ist die Kumpelversion von »Love« und »Hon«. Zum anderen hilft es in Momenten, in denen einem der Name des Gegenübers entfällt. »Mate« ersetzt jeden Namen, es ist der ultimative Joker.

Eine typische Unterhaltung beginnt daher so:

»Hey mate, good to see you.«

»And you, mate.«

Kurzum, »Mate« ist das verbalisierte X und O.

Wer kein »Mate« ist, ist oft ein »Wanker«. Hier darf man ebenfalls nicht wörtlich übersetzen. Denn der Wanker befriedigt sich nicht selbst, er ist einfach ein Arsch. Wer sich danebenbenimmt, ist ein Wanker. Auch wer überheblich, arrogant und etwas schmierig daherkommt, fällt in diese Kategorie. Sehr gerne in Kombination mit einem weiteren sehr englischen Wort: »He's such a posh wanker.«

Gerade in Arbeiterklasse-Kreisen ist posh sein, also schick oder wohlhabend, so beliebt wie ein Fahrkartenkontrolleur in der U-Bahn.

Wer nicht mit dem W-Wort belegt wird, ist in der Regel in Ordnung. Und wer in Ordnung ist, ist »brilliant«. Das können neben Personen auch Dinge sein – und vor allem Witze. Denn ist etwas sehr lustig, ist es »brilliant«. Vielleicht das höchste Lob auf der Insel: »You were brilliant, mate!«.

Ähnlich hoch rangiert nur noch »nice one«. Aber jetzt wird's schwierig, denn »nice one« bedeutet – ähnlich wie das erwähnte »cheers« – nebenbei auch noch das exakte Gegenteil. Als Vorzeige-Beispiel des britischen Sarkasmus kommt es immer dann zum Einsatz, wenn etwas ganz massiv schiefgeht. Wirft jemand ein ganzes Tablett mit Getränken um: »Nice one!«

Das wird nur übertroffen von einem noch größeren Debakel. Übergibt sich jemand spätnachts im Nachtbus, ist der häufigste Kommentar der übrigen Mitfahrer: »Nice one, mate!«.

Sarkasmus-Level: Meisterschüler.

Da bekanntlich Übung den Meister macht, ist es wichtig, sich diesen Situationen so oft wie möglich auszusetzen. Nur deswegen fahre ich beispielsweise nach wie vor mit dem Nachtbus. Natürlich nicht, weil es billiger ist...

Und obwohl ich das Gefühl habe, die Engländer immer besser zu verstehen, geraten mir einige sprachliche False Friends nach wie vor durcheinander.

Dass ich zum Beispiel meinem deutschen Manager Provision zahle, meinem englischen aber Commission, leuchtet mir immer noch nicht ein. Immerhin sind die Prozentsätze ähnlich – da ist man sich einig.

Wer das alles richtig übersetzt, ist am Ende ein glücklicher Kenner der Fremdsprache und landet somit auf Wolke sieben. Die wiederum ins Englische übersetzt zur Cloud Nine wird. Das absolute Glück liegt in Großbritannien also zwei Wolken höher.

Ist man da oben dann glücklicher – oder sitzen dort einfach nur die reichen Lackaffen?

Ich weiß nur eins, wenn ich das nächste Mal auf Wolke sieben stehe und ein Posh Wanker von Wolke neun auf mich runter guckt, werde ich gemeinsam mit den anderen Wolke-Siebenern klatschend, in tiefstem Sarkasmus-Tonfall hochrufen: »Nice one, mate!«.

XXOXOX

HALLELUJA!

– Ich bin der König von England –

Obwohl ich erst wenige Wochen in der Stadt war, hatte ich bereits einen entscheidenden Schritt in Richtung meines erklärten Ziels gemacht: Eines Tages im Comedy Store aufzutreten.

Dieser legendäre Club war schon seit der ersten Klassenfahrt nach London mein Sehnsuchtsort gewesen, denn wer dort auftritt, gehört zu den Besten. Das hatte ich bereits damals gewusst, als ich in Gerhard-Schröder-Manier rief: Eines Tages trete ich hier auf!

Und dieser Tag sollte schneller kommen als gedacht, nämlich schon im Herbst 2009.

Doch wie hatte ich es gleich in meinem allerersten Londoner Monat auf die Bühne des am schwierigsten zugänglichen Comedy-Clubs geschafft? Durch eine Hintertür!

Denn ich war natürlich nicht für einen Auftritt gebucht, schließlich hatte die Londoner Comedy-Szene nicht gerade auf mich gewartet; sie war bisher überraschenderweise auch ganz gut ohne mich ausgekommen. Der Grund für meinen Auftritt auf diesem heiligen Boden hatte einen epischen Namen: King Gong.

King Gong ist eine monatlich stattfindende Talent-Show im

Comedy Store und für uns Comedians eine Art Casting und somit der erste Schritt in den besten Club des Landes. Doch die Show hat auch Karrieren schon beendet, bevor sie überhaupt angefangen haben. Das Prinzip ist so einfach wie brutal: Wer es schafft, fünf Minuten lang durchzuhalten, ohne von der Bühne gegongt zu werden, kommt ins Finale am selben Abend. Dort bekommen die Finalisten eine weitere Minute Zeit, und dann entscheidet das Publikum, wer der Lustigste war. Von 30 bis 40 Kandidaten pro Abend kommen in der Regel nur zwei oder drei durch. Die Überlebensquote ist damit niedriger als beim Untergang der Titanic.

Bei dieser brutalen Kult-Show dürfen sich die 450 sensationslustigen Zuschauer zwei Stunden lang wie Julius Caesar fühlen: buhen, lachen, klatschen, dazwischenrufen und somit entscheiden, ob der Daumen der Masse nach oben oder unten geht. Es ist gelebte Unterhaltungsdemokratie in Mob-Form. Darauf wollte ich mich nun also einlassen. Meine masochistischen Züge halten sich zwar eigentlich in Grenzen, aber ich wusste, dass King Gong der einzige Weg in den Comedy Store ist.

Der Sieger bekommt einen unbezahlten 5-minütigen Probe-Auftritt (»Open Spot«), geht dann alles gut, folgen weitere Progressions-Stufen: ein 10-Minüter an einem Donnerstag, später an einem Wochenende, und schließlich ein bezahlter 20-Minüter an einem Donnerstag. Klappt das wiederum, gibt es eine komplette Wochenendbuchung für die Hauptshows, mit fünf Auftritten à 20 Minuten.

Das ist das Ziel, denn dann gehört man dazu.

Aber dieser Weg endet bei den meisten Komikern vorzeitig, nur die wenigsten schaffen es am Ende tatsächlich, für die Wochenend-Shows gebucht zu werden – nach Jahren der unbezahlten Open Spots. Vom Buckingham Palace abgesehen, hat kein Club eine so harte Tür wie der Store, das wusste ich.

Und jetzt war ich tatsächlich an diesem magischen Ort angekommen, um den ersten wichtigen Schritt dieses langen Weges zu gehen, und der führte mich die Treppe in den Club hinab. Die Bilder der Idole meiner Jugend säumten die Treppe: Jerry Seinfeld, Robin Williams, Mike Myers, Eddie Izzard, Chris Rock, sie alle sind hier seit der Gründung in meinem Geburtsjahr 1979 aufgetreten. Und jetzt ich. Meine Komiker-Kollegen hatten mir vorher verraten, worauf man achten musste, um die veranschlagten fünf Minuten durchzuhalten: keine ausgelutschten Themen, keine platten Gags, keine langen Pausen. Ich setzte darauf, dass meine Themen frisch waren, denn einen deutschen Komiker hatte dieses Publikum sicher noch nie gesehen.

Dass wir Deutschen keinen Humor haben, ist in der englischen Kultur so tief verankert, dass es einen wundert, warum es nicht im Text der Nationalhymne Erwähnung findet. »God save our gracious Queen. Germans aren't funny. God save the Queen.«

Unerwartet und thematisch originell war mein Act also, das wusste ich. Ich musste nun noch Pausen vermeiden und versuchen, die fünf Minuten zu überleben. Vor mir waren ausnahmslos alle Kandidaten von der Bühne gegongt worden: einer bereits nach 4 Sekunden und ein anderer hatte nicht mal das Mikrofon erreicht. Es war brutal. Der Komiker, der nicht mal eine Chance bekommen hatte, etwas zu sagen, tat mir zunächst am meisten leid. Im Nachhinein erging es ihm eigentlich noch am besten, denn er musste im Vergleich zu allen anderen Künstlern hinterher wenigstens nicht an seinem Material zweifeln.

Jetzt war ich dran.

»My name is Christian Schulte-Loh, and I am a German comedian.« Eine Eruption erfasste das Publikum. Die eine Hälfte lachte laut auf, die andere buhte. Meine unendlich große

Nervosität war auf einen Schlag verflogen. Es hatte funktioniert, jeder im Saal hatte reagiert, alle wollten meinen nächsten Satz hören…

Nun musste ich nur noch 4:50 Minuten überleben. Jetzt bloß keine Pause machen. Ich legte nach, und auch der zweite Gag saß. Sofort wurde ich selbstbewusster und machte die erste kleine Pause, ein Fehler. Einige Zuschauer fingen gleich an zu schreien: »He's wasting time!«. Ich machte also schnell weiter, und die nächsten Gags kamen allesamt sehr gut an, bis ich einen kurzen Witz über meine Anreise per Flugzeug anfing. Sofort hielten zwei der drei Juroren ihre rote Karte hoch. Noch eine rote Karte und ich wäre raus: nach drei Karten gongt es, so ist die Regel.

Das Thema Flugreise war ihnen nicht originell genug, alles schon da gewesen, so wie Starbucks, IKEA oder die Unterschiede zwischen Mann und Frau. Ich hatte schnell begriffen, mit so etwas kommt man in England nicht durch.

Ich wechselte also schnell das Thema, machte Gags über London und gewann das Publikum zurück. Die Zeit lief jetzt gefühlt nicht mehr gegen, sondern für mich. Nach einigen weiteren Witzen kam dann endlich die Erlösung, wie im Rausch hörte ich einen Chor: Händels »Halleluja« wurde eingespielt. Ich hatte es geschafft, und die frohe Botschaft kam ausgerechnet in Form der Musik eines Deutschen. Nur gut, dass mir sein Schicksal für heute erspart geblieben war: Händel war in London gestorben, mir erging es besser. Ich hatte die fünf Minuten überlebt.

Die Lösung des ersten Problems kreierte sofort das nächste. Ich musste mir überlegen, wie ich meine 60 Sekunden im Finale füllen würde. Mir blieb dafür circa eine Stunde. Während ich nachdenkend und voller Adrenalin auf und ab lief, ging das Spektakel auf der Bühne weiter. Ein junger Komiker lief zum Mikrofon und begann sein Set mit einer Slapstick-Einlage. Er nahm das Mikrofon aus dem Stativ und schlug es sich dabei wie versehentlich vor die Stirn. GONG! Zwei Sekunden. Der nächste Kandidat begann sein Set mit den Worten: »Ihr fragt euch wahrscheinlich, wo ich herkomme.« GONG! Sechs Sekunden. Die Nächste bekam mehr Zeit, 2:35 Minuten. Eine starke Leistung, das sagte auch der Moderator. Er klang immer dann mitleidig, wenn die gestoppten Zeiten recht hoch waren. Bei den extrem kurzen Zeiten wurde das Ergebnis zynisch und nahezu triumphierend verkündet. Die Verlierer bekamen direkt nach dem Gong natürlich nicht Händels Halleluja zu hören, für sie gab es den Queen-Klassiker »Another one bites the dust«. Der Refrain dieses Stücks wurde während der Show so oft gespielt, dass es auf der jährlichen Queen-Tantiemen-Abrechnung einen gewaltigen Ausschlag gab.

Bisherige Bilanz: 16 mal Queen, 1 mal Händel, der Gong war in Höchstform.

Je mehr Kandidaten ausgegongt wurden, umso häufiger bot sich einem Freiwilligen unter den Zuschauern die Gelegenheit, sein Glück zu versuchen. Und so sprang ein Pakistaner aus dem Publikum auf und machte klar, er wolle es versuchen. Die Menge grölte.

Als Publikumskandidat hatte er einen immensen Vorteil, denn die Meute hatte mit einem der ihren mehr Geduld als mit den offiziellen Kandidaten. Und so schaffte es der Pakistaner mit seinen Vorschusslorbeeren dann auch tatsächlich als zweiter Kandidat ins Finale. Was die Zuschauer nicht wussten, alle Komiker kannten den Pakistaner, denn er war einer von uns. Clever gemacht, das musste ich ihm lassen. Jetzt hatte die Veranstaltung also ihre ersten beiden Finalisten: einen vermeintlichen Zuschauer aus Pakistan und einen Deutschen. Das schräge Dreigestirn wurde schließlich komplettiert durch einen jungen Engländer, der ebenfalls Christian hieß und im

Prinzip aussah als wäre er mein Zwillingsbruder. Dem Publikum bot sich ein skurriles Bild: zweimal derselbe schlaksige Riesen-Typ und dazwischen der kleine Pakistaner.

Nun begann der schwierigste Teil. Genau eine Minute hatten wir jeweils im Finale. Was tun? Eine Minute ist kurz, und mir war klar, dass ich nur gewinnen konnte, wenn ich mit einem guten Lacher aufhörte. Mir wurde Startplatz drei zugelost, also der beste. So würde ich als letzter Starter bei der Applaus-Abstimmung noch den frischesten Eindruck und somit das Momentum auf meiner Seite haben. Während die anderen beiden ihre Minute spielten, legte ich mir noch meine Gags zurecht. Ich hörte kaum zu, meine Gedanken waren total auf mein eigenes Material fokussiert. Ich bekam dennoch mit, dass beide Mitfinalisten nicht mit einer Pointe endeten, sondern im Aufbau eines Gags vom Zeitsignal unterbrochen wurden. Daher war der Schlussapplaus in beiden Fällen zwar ordentlich, aber nicht Angst einflößend.

Ich entschied mich also für eine Nummer, die mit vielen schnellen Gags endet, sodass ich auf jeden Fall einen guten Ausstieg hätte, wenn die Minute zu Ende war. Es war eine Nummer über Arnold Schwarzenegger, der damals noch Gouverneur von Kalifornien war. Ich machte viele kurze Witze über den Governator – und es funktionierte. Ich bekam schnelle Lacher und das Minuten-Horn tönte direkt in eine Salve von Gags hinein, sodass ich den starken Ausstieg hatte, den ich wollte. Nun kam es zur Abstimmung per Applausometer. Die Leute machten bei jedem von uns einen Heidenlärm, es klang alles gleich. Nur visuell unterschied sich der Lärm. Denn ich sah meinen Kumpel Johnny, der, als über mich abgestimmt wurde, so sehr schrie, dass ich Angst um ihn bekam. Seine Halsschlagadern sahen aus wie Schiffstaue, sein Kopf wie eine Boje.

Nun wurde das Ergebnis verkündet. Welcher ohrenbetäubende Lärm hatte auf der elektronischen Skala am weitesten ausgeschlagen? Der Moderator hob an und verkündete: »The winner of this month's infamous King Gong... is...«.

Die eben noch apokalyptische Stimmung war in Stille umgeschlagen. Alle hörten gespannt zu. »Christian...«. Immer noch Stille. Der pakistanische Kollege war raus, es blieben die beiden langen Blassen. Mein Herz schlug heftig, und im nächsten Moment hörte ich den Moderator einen fremden Nachnamen sagen: »Skaltiloch!«

So eine Enttäuschung, der andere hatte gewonnen. Doch auch er freute sich nicht. Was war hier los? Wer war dieser »Christian Skaltiloch«? Der Moderator kam auf mich zu und rief mir zu: »That's you, you idiot! You've won!«.

Nie habe ich mich über meinen falsch ausgesprochenen Nachnamen so gefreut wie in diesem Moment. Heute ein König. Heute King Skaltiloch, der Erste.

Ich wurde mit einer Papp-Krone inthronisiert und bekam Lob von allen Seiten. Ich war der König von England, was für ein Start. Und dann wartete der Höhepunkt des Abends, denn endlich traf ich ihn, den Paten der Comedy-Szene, Don Ward, den legendären Gründer des Comedy Store, den knapp 70-jährigen Godfather of Comedy.

Ich durfte mich vielleicht König nennen, aber Don war der wahre Regent. Er entscheidet, wer in seinem Club auftritt, wer es nicht mehr tut und wer es niemals tun wird, egal ob König oder nicht. Nun stand ich vor ihm und hörte ihn sagen: »Well done! Do you know who I am?«

»Of course, I do. It's an honour to meet you, Don.«

Was für ein Dialog. Ich nahm an, dass er mir als Nächstes seinen Ring zum Kuss hinhalten würde und erwartete im Hintergrund die Abspann-Musik unseres Films.

Don fragte mich, ob ich wisse, wie es jetzt weiterginge.

Natürlich wusste ich das: the winner takes it all. Und »all« heißt in diesem Falle ein 5-Minuten-Auftritt an einem Donnerstag. Er sagte, dass das zwar normalerweise so sei, aber eben jetzt nicht. Was ich am Samstag vorhätte. Ich sagte wahrheitsgemäß, dass mein Kalender momentan extrem buchungsfreundlich aussähe, da ich ja gerade erst in London angekommen war: alles frei. Ihm gefiel dieses Drehbuch mittlerweile auch. »Come and do a 10 this Saturday!« Zehn Minuten? Diesen Samstag? Ich glaubte ihm nicht und fragte noch mal nach. Er machte klar, dass die Gags auf der Bühne stattfinden, nicht im Gespräch nach der Show. Ich war begeistert und ging zur Bar, der König brauchte ein Bier. Die Bedienung beglückwünschte mich zum Sieg und zum 5-Minüter an einem Donnerstag. Ich erzählte vom 10-Minüter am kommenden Samstag, und die Bedienung sagte, dass das eine Premiere sei. So etwas wäre in all den Jahren noch nie vorgekommen: »Don must like you.« Das beruhte dank der jüngsten Entwicklungen natürlich auf Gegenseitigkeit.

Die Spiele hatten begonnen…

GESTATTEN, CHRISTINE COLE

– Wie ich meine Managerin erschuf –

Nach der Begegnung mit Don war ich mir sicher, ich hatte den richtigen Weg gewählt.

Zwar war ich schon jahrelang als Comedian aufgetreten, aber eben nur nebenbei. Nun hatte ich also kürzlich meinen gut bezahlten »normalen« Job bei einer TV-Produktionsfirma aufgegeben und das Projekt »Himmelfahrtskommando« umgesetzt. Freiberuflicher Künstler, diese Formulierung vereint alles, was meinen erlernten bürgerlichen, westfälischen Lebensmustern widerspricht.

Vorher wohnte ich in meiner eigenen Wohnung, hatte ein festes Einkommen, eine Berufsunfähigkeitsversicherung (gibt es das Wort eigentlich in irgendeiner anderen Sprache?), bezahlten Urlaub und all die anderen Bequemlichkeiten des Lebens. Jetzt schlief ich auf den Sofas befreundeter Komiker, lebte von meinem Ersparten, ließ mich von besoffenen Engländern ausbuhen und war so weit vom klassischen, kleinstädtischen Lebensentwurf entfernt, wie das eben möglich ist. Nice one.

Ich versuchte also, die existentiellen Fragen zu verdrängen. Wobei eine blieb: Würde mich eine Berufsunfähigkeitsversicherung bei einer Reihe schlechter Auftritte bezahlen? Wie beweist man seine Unfähigkeit?

Abgesehen davon entschied ich, alle tief greifenden Fragen aufzuschieben. Ich entschied stattdessen, einen Plan zu schmieden und den Erfolg anzugehen. Obwohl, wie gesagt, so vieles dagegen spräche.

Denn im Prinzip ist Komiker ja ein seltsamer Job, weder ein klassischer Ausbildungsberuf, der Familie und Lehrer stolz macht, noch ist das Showbusiness ein besonders soziales Geschäft. Zwar steht ein Komiker Abend für Abend vor Tausenden, Hunderten oder manchmal auch nur Dutzenden Zuschauern auf der Bühne, dennoch ist der Rest des Arbeitsalltags eher einsam. Wer bei der Berufsberatung sagt: »irgendwas mit Menschen«, sollte besser kein Comedian werden. Zuschlagen sollte der Jobsuchende allerdings sofort, wenn der Berufsberater sagt: »Sie mögen es, alleine zu sein, und lassen sich gerne von der Reaktion Fremder niederschlagen? Außerdem schreiben Sie gerne stundenlang ohne erkennbaren Fortschritt?«

Wenn man es dann noch liebt, so viel Zeit wie möglich in überfüllten Zügen zu verbringen und sich anschließend auf dem schlecht beleuchteten Weg vom Bahnhof zum Comedy-Club zu verlaufen, ist der Komiker-Beruf genau der richtige.

Zudem muss man es mögen, maximal 100 Nächte pro Jahr im eigenen Bett zu schlafen, ansonsten lieber im billigsten Hotel der hässlichen Kleinstadt, deren Namen man nicht mal kennt.

»Und das alles für wenig Geld? Klasse! Ich habe da den perfekten Job für Sie!«

Es ist natürlich ein toller Beruf, ich will mich nicht beschweren. Aber Komiker verbringen die meiste Zeit alleine – oder mit anderen Comedians. Denn im Prinzip besteht mein Job aus vier Dingen: Schreiben, Auftreten, Verwalten und sehr viel Reisen. Von diesen vier Bereichen muss jeder Komiker mindestens drei gerne machen. Das Verwalten lässt sich an eine Agentur ausgliedern, an einen Manager. Das klingt zwar nicht ganz so glamourös wie der Spielerberater beim Fußballer, aber es fehlt nicht viel, der erste Schritt zum Hofstaat ist getan. Der Manager hilft mit seinen Kontakten und übernimmt mit seinem Büro außerdem Aufgaben, die vom Künstlersein ablenken. Künstlersein ist hier ein Synonym für Schreiben oder Faulsein, je nachdem.

Nach meinen Erlebnissen im Comedy Store wusste ich, ich brauchte eine Agentur, ein Management. Nur, wie funktioniert so etwas? Natürlich interessierte sich noch niemand für mich.

Wie komme ich also aus diesem Teufelskreis heraus? Wer kein Management hat, bekommt bestimmte Buchungen nicht, und wer in bestimmten Clubs nicht gebucht wird, hat es schwerer, von guten Managern gesehen zu werden. Eine Lösung musste her.

Wenn es etwas nicht gibt, muss man es erschaffen. Ich hatte keine Managerin, kreierte also einfach meine eigene: Christine Cole. Sie bekam eine E-Mail-Adresse und schickte fortan Anfragen und Presse-Mitteilungen für mich heraus. Es klingt einfach professioneller, wenn das jemand anderes für einen macht. Außerdem wollte ich mir schon immer mal eine Frau am Reißbrett erschaffen. Diese Chance wollte ich mir nicht entgehen lassen. Der Name meiner fiktiven Agentin war dabei nicht zufällig gewählt, Christine und Christian ähneln sich schließlich in ihrer Schreibweise so sehr, dass es nicht auffallen würde, sollte ich mal aus Versehen Christines E-Mails mit meinem Namen unterschreiben. Und für mich als Kind des Ruhrgebiets bot sich natürlich Cole an, was sich wie Coal anhört und somit nach Bergbau klingt. Außerdem sollte Christine ja vor allem für Erfolg sorgen und somit für Kohle, sie musste also nur ihrem Nachnamen gerecht werden. Meine erste Namens-Idee hatte ich verworfen: Christine Moneypenny war mir zu platt. Christine Cole also. Telefonisch war meine Managerin übrigens nur ganz schwer zu erreichen. Rief jemand unter ihrer Nummer an, ging immer ich ans Telefon und sagte, Christine wäre gerade in einer wichtigen Besprechung oder telefoniere auf der anderen Leitung. Sie mochte Anrufe nicht, sie bevorzugte E-Mails. Wie Gustave Flaubert sagte: »Madame Bovary, c'est moi«, so konnte ich sagen: »Christine Cole, that's me.« In unserer kleinen Firma war die Stimmung gut, Christine und ich wurden abwechselnd Mitarbeiter des Monats, sie nervte nie und war obendrein noch damit einverstanden, von zu Hause aus zu arbeiten. Wie praktisch.

Die Früchte ihrer Arbeit waren erstaunlich. So hatte ich zuvor immer Pressemitteilungen und Buchungsanfragen in meinem eigenen Namen geschrieben, mit geringem Erfolg, da Eigenlob beim Leser nur selten gut ankommt.

Mit Christine war das plötzlich anders. Sie schrieb, sie habe einen unglaublich lustigen, sehr talentierten Komiker im Stall, den man unbedingt gesehen haben müsse.

Ich realisierte schnell, dass Eigenlob mit der Feder eines anderen geschrieben so viel leichter von der Hand geht – und auch beim Leser viel besser ankommt. Christine war »brilliant« – und wir erinnern uns: das ist das höchste Lob auf der Insel. Plötzlich gab es auf die meisten Pressemitteilungen positive Antworten. Rezensenten und Kritiker kündigten sich der Reihe nach an. Und Buchungen kamen auch rein. Die Booker der großen Clubs fingen plötzlich an anzubeißen. Sie mochten Christine.

Ob sich die großen Booker der Branche bei der nächsten Cocktail-Party wohl austauschten und sich mit der üblichen Angeberei überboten?

»Diese Christine Cole ist toll, oder?«

»Absolut. Ich arbeite seit Jahren mit ihr.«

»Ja, und jetzt hat sie auch Christian, den Deutschen, unter Vertrag.«

»Genau. Wen hat sie denn sonst noch?«

»Ach, viele gute Leute. Immer.«

»Ist sie heute eigentlich auch hier?«

»Klar, hab vorhin schon mit ihr gesprochen.«

So und nicht anders verlaufen schließlich alle Showbusiness-Partys. Keiner kennt keinen, aber alle tun so als ob. Warum also nicht einfach einen weiteren Protagonisten in die Szene einführen? Wo Luftschlösser gebaut werden, ist auch Platz für eine (heiße) Luft-Managerin.

Was aus Verzweiflung begann, fing an zu funktionieren. Aber konnte ich das moralisch und ethisch vor mir selbst verantworten? Natürlich! Schließlich war Christine wohl die ehrlichste Managerin von allen. All ihre E-Mails wurden nach dem Vier-Augen-Prinzip von mir gegengelesen, ihre Arbeit entsprach daher genau meinen eigenen hohen ethischen Standards. Noch dazu arbeitete Christine ehrenamtlich. Und am Ehrenamt zweifelt man nicht, da bin ich ganz Beckenbauer.

Auch wenn intern ethisch alles abgesichert war, so war unsere Beziehung natürlich nicht ohne gewisse Reibungspunkte. Christine war neidisch und eifersüchtig, was in der Natur ihrer Stellenbeschreibung lag. Schließlich war es ihr Job, mich erfolgreicher zu machen, sodass andere Agenturen auf mich aufmerksam würden. Im Prinzip war das für sie ausgegebene Ziel also, sich selbst irgendwann überflüssig zu machen. So etwas ist für niemanden leicht zu verkraften, selbst wenn die Person nur erfunden ist. E.T., James Bond und Jesus sind vielleicht auch nur erdacht, niemand würde aber bestreiten, sie hätten Gefühle. Ähnlich verhielt es sich mit Christine.

Als ich dann eines Tages nach einem sehr guten Auftritt in Liverpool von einer Agentur unter Vertrag genommen wurde, kühlte die Stimmung zwischen Christine und mir merklich ab.

Sie hielt mir vor, ich hätte sie im Gespräch mit der neuen Agentur nicht mal erwähnt.

So schwer es mir fiel, aber ich schickte Christine in einen langen Urlaub. Bolivien sollte es sein, dorthin hatte ich schließlich seit meiner Couchsurfing-Zeit bei Comedy-Kumpel Johnny gute Kontakte. Es war besser für alle.

Was ist nun nach all den Jahren aus Christine geworden? Ganz verschwinden lassen wollte ich sie nicht – das hätte ich nicht übers Herz gebracht. Sie verschickt also als PR-Assistentin zu jeder meiner Festival-Shows noch die Presse-Mitteilungen, das hat mittlerweile Tradition.

Und wenn mich heute auf einer Showbusiness-Party jemand auf sie anspricht und fragt, wo denn meine nette Ex-Managerin geblieben ist, antworte ich:

»Ach, Christine. Sie hat sich ihre Berufsunfähigkeitsversicherung auszahlen lassen und sich mit dem Geld einen Lebenstraum erfüllt, einen Chip-Shop in La Paz.«

VOLLES PFUND IM LINKSVERKEHR

– Sehr britische Eigenheiten –

Auf Inseln läuft das Leben immer etwas anders. Denn wer durch einen großen Wasserkörper vom Rest der Welt abgetrennt ist, dessen Eigenheiten, Traditionen und Absurditäten sind immun gegen zu viel Anpassung und Annäherung an die Nachbarn. Amerikanische Wissenschaftler haben herausgefunden (so fängt jeder schlecht recherchierte Satz an), dass sich bei Frauen, die viel Zeit miteinander verbringen, der biologische Zyklus synchronisiert. Es kommt ganz unbewusst zu einer Art Schwarm-Menstruation.

Dasselbe passiert mit Nachbarländern – teilweise sogar ganz ohne Blutvergießen. Eigenheiten, Riten, Sprache, Regeln, all das vermischt sich über die Jahrzehnte und Jahrhunderte, sodass Unterschiede langsam verkümmern und schließlich verschwinden. Diese Gefahr besteht bei Inselnationen nicht. Oder zumindest dauert der Prozess dort wesentlich länger.

Wenn Wissenschaftler also etwas Spektakuläres entdecken, wie eine neue Spezies, ein ganz bestimmtes Sozialverhalten, Genmutationen etc., so spielen sich diese Funde so gut wie immer auf Inseln, also in isolierten Umgebungen ab, man spricht dann von endemischen Erscheinungen.

Einem Wissenschaftler nicht unähnlich, staune auch ich immer wieder über das gastfreundliche Inselvolk. Wobei ich vermeide, mich der Terminologie der Forschung zu bedienen. Greift man doch dabei oft auf Versuchskaninchen oder Affen zurück. Einfältige Menschen benutzen daher häufig den abwertenden Begriff Inselaffen, umgekehrt werden wir Deutschen dann despektierlich zu Krauts. Diese Wörter sind ziemlich dämlich und unoriginell, wir überlassen sie daher lieber der BILD-Zeitung und ihrer englischen Cousine, der Sun.

Denn abgesehen vom Fußball und von Boulevardzeitungsklischees verbindet Deutsche und Engländer eine große Faszination füreinander. Wir pflegen und mögen unsere Unterschiede. Die Briten lieben die deutsche Seele mit ihrer Pünktlichkeit und Effizienz, sie loben unser Bier, die erschwingliche Bundesliga und unsere Autos. Wir wiederum sind angetan von der britischen Pub-Kultur, der Musik, der feinen englische Art und den überlebensgroßen Geschichten des Königshauses. Gegensätze ziehen sich an – und genau deswegen gibt es auch jedes Jahr so viel Tourismus zwischen Deutschland und England. Wer sich mag, besucht sich. Und weil wir einander viel besuchen, muss die Zuneigung groß sein.

Genau wie die Anzahl der Botschafter, die diese Liebe fördern: Bei Rosamunde-Pilcher-Verfilmungen schmachten deutsche Schauspieler als einsame Lords mit angegrauten Schläfen und machen Lust auf Cornwall; Sportwagen made-in-Germany und die fehlende Geschwindigkeitsbegrenzung machen im Gegenzug den Engländern Lust auf deutsche Autobahnen. Berichte über die britischen Royals wecken bei den Deutschen Interesse an der Insel, während dort von der alternativen und preisgünstigen Lebensweise in Berlin berichtet wird. In London schwärmen alle von Berlin, während in Berlin alle von London schwärmen. Das wirkliche Verhältnis zwischen Deutschland und England könnte also nicht weiter entfernt sein von den billigen Abneigungsklischees wie Inselaffe oder Kraut, denn wir pflegen unsere Unterschiede und freuen uns darüber, sie zu entdecken, wenn wir bei den Nachbarn zu Besuch sind.

Außer vielleicht, wenn man als Deutscher am Flughafen Heathrow noch den Bus erwischen will und beim hastigen Überqueren einer Straße fast vom Taxi überfahren wird, das sich heimtückisch von der falschen Straßenseite aus genähert hat.

Wer als Autofahrer vor dem Jahr 1967 von Norwegen nach Schweden fuhr, musste von der rechten auf die linke Seite wechseln. Schweden hatte dann irgendwann die Nase voll und passte sich dem Rest Kontinentaleuropas an: Rechtsverkehr, wie überall. Man hatte den Kampf verloren.

Großbritannien hingegen gibt dank seiner Insellage den Linksverkehr so schnell nicht auf. Für Touristen ist das vor allem in den ersten Stunden nach der Ankunft in London ein Abenteuer. Die Verkehrsbehörden der Hauptstadt haben daher reagiert und an jeder (!) Straßenecke auf den Boden pinseln lassen, von welcher Seite die Autos kommen: »Look right« oder »look left« soll die verwirrten Fußgänger schützen. Das hat jahrelang funktioniert. Heute aber gucken natürlich alle auf den Bildschirm ihres Smartphones, und die Unfallstatistiken steigen wieder. Aber somit ist es wenigstens endlich egal, ob das Auto von links oder rechts kommt.

Als ich das erste Mal auf der linken Seite fuhr, tat ich dies in Schottland. Nach dem Edinburgh Festival hatte ich mir ein Auto gemietet und fuhr in die Highlands. Neben mir saß als perfekte Co-Pilotin Christine Cole, die beste Managerin von allen. Ich war also allein.

Die ersten Meilen im Linksverkehr liefen überraschend gut. Ich musste mich zwar erst mal an das Schalten mit der linken Hand gewöhnen, aber das Fahren auf der anderen Straßenseite war eigentlich kein Problem. Vielleicht half mir dabei mein verquer operierendes Gehirn. Denn ich war als Kind eigentlich Linkshänder gewesen, bis mir die Lehrer in der Schule den damals noch üblichen Konformismus aufzwangen und mich zum Rechtshänder umschulten. Umschulen klingt einfach netter als zwingen. So wie »Enhanced Interrogation Techniques« besser klingt als »Torture«.

Es war aber in der Tat eine Tortur für mich. Ich erinnere mich, dass mein wenige Jahre altes Gehirn zunächst überhaupt nicht mit der Umschulung einverstanden war. Ich schrieb zwar gezwungenermaßen mit rechts, dafür aber – quasi als Kompensation – auf dem Kopf stehend und spiegelverkehrt. Es sah verrückt aus. Meine Eltern und meine Klassenlehrerin waren sich sicher: Sie hatten es entweder mit einem Hochbegabten zu tun, oder mit einem Idioten.

Nach und nach stellte sich mein Gehirn auf das Schreiben mit der anderen Hand ein – obwohl ich nach wie vor den Buchstaben »S« und die Zahl »5« von unten nach oben schreibe.

Mein somit immer noch seitenirritiertes Gehirn freute sich also, im britischen Linksverkehr endlich mal wieder gefordert zu werden. Links vor rechts schien mir mehr zu liegen als rechts vor links.

Es lief gut mit dem Mietwagen. Einzig die zweispurigen Kreisverkehre machten Probleme. Wie um alles in der Welt kommt man da rein – und vor allem wieder raus?

Doch mit einem Trick ließ sich auch dieses Problem schnell lösen: Ich blinkte einfach schon beim Reinfahren in den Kreisel links, sodass ich mir alle Optionen offenhielt.

Ich genoss das Hupkonzert und freute mich über die gelungenen Täuschungsmanöver. Jede Verfolgungsjagd hätte ich so gewonnen.

Als es dann ins schottische Hochland ging, war das Problem mit dem Kreisverkehr passé. Stattdessen eröffnete sich eine neue Herausforderung, die der Linksverkehr für jeden Festland-Europäer mit sich bringt. Bei einspurigen kleinen Straßen ist oft nur Platz für ein einzelnes Fahrzeug. Selten kommt einem im Hochland ein Auto entgegen, dort wo Schafe in der Regel die einzigen anderen Verkehrsteilnehmer sind.

Doch irgendwann endet jeder kleine Serpentinenweg, und man kommt wieder an eine zweispurige Bundesstraße. Und genau hier passieren die meisten Fehler. Denn nach stundenlangem Fahren in der Mitte eines besseren Feldweges muss man sich nun daran erinnern, wieder auf der linken Seite zu fahren. Einmal lag ich falsch und ordnete mich nach langer Fahrt über kleine Feldwege rechts ein. Ich war schon ein bisschen müde, da macht man leicht Fehler. Die Lichthupe des heranrasenden Gegenverkehrs auf »meiner« rechten Spur weckte mich allerdings sanft und ließ mich das Lenkrad herumreißen. Mehr Adrenalin schüttet nur Felix Baumgartner aus. Ich fuhr wieder auf der richtigen Seite und war überhaupt nicht mehr müde. Zwei Fliegen mit einer Klappe.

Für die Engländer ist Europa weit weg. Wenn auf der Insel jemand von Europa spricht, meint er Kontinentaleuropa, das Festland. Großbritannien gehört nicht zu Europa. Ich habe mir diese Ausdrucksweise mittlerweile auch angewöhnt. So sage ich, dass ich nach Europa fliege, wenn ich von London nach Deutschland reise.

Europa ist für die Briten irgendwie so weit weg wie Amerika oder Dubai. Und diese Entfernung spiegelt sich in vielen Dingen wider. So regiert nach wie vor das imperiale System mit seinen antiken Maßeinheiten die Insel. Entfernungen werden in Yards oder Meilen gemessen, Höhen in Fuß. Die Höhe eines Pferdes aber zum Beispiel wird in»Hands« angegeben, das menschliche Körpergewicht in »Stone«. Das metrische System ist den Briten einfach nicht schräg genug. Es ist zu logisch, zu europäisch, zu mathematisch. Man hält lieber fest am wunderbar historischen System, das sich ein paar volltrunkene Ritter vor Jahrhunderten an einem Lagerfeuer ausgedacht haben. So muss es gewesen sein. Sie fingen an, in »Feet« und »Hands« zu messen. Schade dass sie ihre Kleidung anbehalten haben. Es entspräche dem typisch britischen Humor, würde man jetzt kurze Entfernungen folgendermaßen messen:

»How far to the next pub?«

»5000 penises.«

Natürlich schlaff. »3000 erect.«

Die Verwirrung bei den Maßeinheiten ist jedenfalls groß. In Kontinentaleuropa weiß jeder, wie groß ein Quadratmeter ist. In England ist das anders. Auf einem der am heißesten umkämpften Immobilienmärkte der Welt wirken die Größenangaben wie von einem 5-Jährigen beschrieben.

Zwar wird die Größe einer Wohneinheit offiziell in Square-Foot angegeben. Drei Fuß sind in etwa ein Meter, also entspricht ein Quadratmeter circa 3 × 3 Fuß, also 9 Quadrat-Fuß.

Quadratlatschen sind aber in England als Größenangabe nicht wirklich etabliert. Wer auf der Insel über Wohnraum redet, spricht ausschließlich von der Anzahl der Schlafzimmer. Sagen wir, es wird eine 3-bedroom-flat, also eine Wohnung mit drei Schlafzimmern, zum Verkauf angeboten. Das klingt natürlich toll. Ob die Zimmer dabei so groß sind wie eine Flugzeugtoilette oder ein ganzes Terminal, ist dabei egal. Es zählt die Anzahl der potenziellen Schlafzimmer, auch wenn es eigentlich ein Wohnzimmer oder ein Arbeitszimmer werden soll.

Sollte ich jemals ein Eigenheim in London besitzen, werde ich das einzige Schlafzimmer durch Trockenbauwände neunteilen und das Objekt als »9 bedroom-flat« für 20 Millionen Pfund anbieten. In der Anzeige wird natürlich stehen, dass jedes Zimmer drei Quadratmeter groß ist. Doch das erkennen die Käufer in etwa so wenig, wie ein Rot-Grün-Blinder eine Portugal-Flagge.

Mit den 20 Millionen Pfund kaufe ich mir dann eine einsame Insel, um dort meine eigenen schrägen Traditionen zu beginnen. Mit Maßeinheiten, die ich mir im betrunkenen Kopf zusammenwürfeln werde.

Aber die Immobilienpreise sind nicht die einzigen Ausgaben, bei denen man gut aufpassen muss, nicht über den Tisch gezogen zu werden.

Für das Riesenrad am Südufer der Themse, London Eye genannt, kostet ein Ticket circa 25 Pfund. Um London aus der Vogelperspektive zu sehen, ist es günstiger, sich für 15 Pfund einen Flug mit Easyjet zu buchen. Und da gibt's an Bord dann wenigstens eine Toilette und Service-Personal. Und klatschende Passagiere. Und man landet nicht da, wo man losgefahren ist.

Wer 25 Pfund für eine Fahrt im Riesenrad bezahlt, ist schuld an allem! An den teuren Preisen in London, am Siegeszug des Kapitalismus, am Klimawandel und an Krebs. Na ja, auf jeden Fall am Kapitalismus.

Ich mache mich hier der Doppelmoral schuldig, denn auch ich habe in London schon für zwei Kinokarten plus Popcorn und Cola 55 Pfund bezahlt. So etwas darf man eigentlich nicht unterstützen, da kann man besser das Geld in eine Fruit-Machine werfen. Aber die teuren Kino-Preise lassen sich nun mal auf legalem Wege ebenso schwer umgehen, wie die horrenden Mieten.

Bei den hohen Immobilienpreisen wundert es mich sowieso, dass nicht mehr Londoner einfach eine TFL-Monatskarte (Transport For London) für den öffentlichen Nahverkehr kaufen und in der U-Bahn wohnen. Die fahren nämlich, zumindest am Wochenende, jetzt auch nachts. An den anderen Wochentagen kann man es sich dann auf dem oberen Deck der Doppeldeckerbusse bequem machen. Für ca. 150 Pfund im Monat eigentlich kein schlechter Deal.

Die knallroten Busse sind sowieso das Beste an London. Zum einen ist Busfahren viel günstiger als U-Bahn-Fahren, und zum anderen erlebt man in Bussen die besten Dinge. Vor allem in den Nachtbussen, in denen man die eklektischste Mischung an Menschen antrifft, die je ein Transportmittel gesehen hat. Eingeschlossen in dieser Aussage ist die Wuppertaler Schwebebahn, die immerhin schon einen Elefanten transportiert hat.

Die Passagiere eines Londoner Nachtbusses sind in etwa so bunt gemischt wie die Passagiere auf der Arche Noah. Im Prinzip ist dieser Vergleich auch sonst der treffendste, denn die Reise im Nachtbus hat immer etwas von einer rettenden Fahrt durch eine apokalyptische Umgebung. Während draußen in den Straßen der Stadt das alkoholbefeuerte Chaos herrscht, dominiert im Inneren des Busses was? Ebenfalls das alkoholbefeuerte Chaos. Aber eben drinnen.

Betrunkene, Verrückte, betrunkene Verrückte, knutschende Paare, knutschende Unbekannte, saufende Gruppen und saufende Individuen – die Auswahl ist sehr eigen. Es ist eigentlich kaum erträglich, aber die Fahrt kostet eben nur einsfünfzig.

Manchmal sind jedoch selbst diese Einpfundfünfzig einem Zusteigenden zu viel, und er betritt den Bus, ohne seine Oyster-Card gegen den Scanner zu halten.

Was tut nun der Busfahrer in seiner Plexiglas-Zelle gegen den Schwarzfahrer? Ganz einfach: Nachdem alle Zugestiegenen im Bus sind, kommt die Durchsage: »Entweder steigt der Schwarzfahrer aus, oder der Bus fährt nicht weiter.«

So regeln die übrigen Fahrgäste das Problem selbst. Der blinde Passagier wird lautstark zum Aussteigen aufgefordert, schließlich wollen alle schnellstmöglich ins Bett. Teilweise sogar ins eigene.

Schwarm-Intelligenz, Schwarm-Müdigkeit oder Schwarm-Kater, so oder so siegt der Schwarm über das schwarze Schaf. Nach dem Rauswurf geht die Reise weiter, und für einen Moment fühlen sich alle Mitreisenden, die vorhin noch so wenig gemein zu haben schienen, als Gruppe. Dem Schwarzfahrer sei Dank.

Eine Busfahrt in London kann schon mal gut 90 Minuten dauern, da die Entfernungen in der britischen Hauptstadt beachtlich sind. Und da im Nachtbus die meisten Passagiere vollgetankter sind als der Bus, stellt sich irgendwann die WC-Frage. Linienbusse haben natürlich keine Bord-Toilette. Daher hat die Stadt London an den Hauptbushaltestellen vorgesorgt. Was tagsüber wie ein Gullideckel aussieht, fährt nachts – einer geheimen Telefonzelle gleich – aus dem Boden und wird zum vierseitigen Pissoir mit Dach. Die Männer freut's, die Frauen weniger. So können sich die betrunkenen männlichen Passagiere kurz vor Abfahrt wenigstens noch mal erleichtern. Die Frauen nutzen die Ecken hinter den riesigen Großstadt-Mülltonnen. So entstehen Freundschaften.

Draußen erleichtern sich die Menschen weltweit recht ähnlich. Doch die wahren Unterschiede zeigen sich erst im häuslichen Bad. Auch hier sind die Eigenheiten bemerkenswert.

So sind in vielen englischen Häusern die Badezimmer mit

Teppich ausgelegt. Und zwar das gesamte Badezimmer, also auch der Bereich um die Toilette. Ich gebe zu: Es ist an den Füßen angenehm weich, wenn man die Dusche verlässt oder wenn man auf der Toilette sitzt. Aber mindestens genauso wohl wie der Badezimmerbesucher fühlen sich Kollege Fußpilz, Mister Schimmelspore und Herr Urinspritzer.

Aber Bequemlichkeit steht im Lexikon eben vor Hygiene, von daher ist es verständlich.

Im Badezimmer gibt es aber noch weitere britische Eigenheiten zu entdecken. Beim Betreten eines britischen Bathrooms legt man keinen Lichtschalter um, sondern zieht an einem neben der Tür baumelnden Seil. Dieses löst den Schalter aus. Das soll verhindern, dass der Lichtsuchende mit nassen Händen einen Stromschlag bekommt. Wie es ja täglich tausendfach vorkommt, in Ländern ohne Seilzug-Lichtschalter. Das Schöne an dem Seil-Schalter ist, dass man sich für einen kurzen Moment wie ein Glöckner fühlt. Oder wie ein Pub-Wirt, der die letzte Runde einläutet. Mit Sicherheit liegt also auch bei dieser britischen Eigenheit der Grund in der Trinkkultur, und nicht im Schutz vor Stromschlag.

Außerdem ist ein Stromschlag im englischen Badezimmer ja sowieso ausgeschlossen, dem weichen Teppich sei Dank. Da greift eine Art der Isolierung, die dem Tragen von Gummistiefeln gleicht.

Vielleicht ergibt es also doch alles mehr Sinn als gedacht.

All diese Unterschiede sind spannend und belustigend. Doch die bemerkenswerteste Eigenart im britischen Bad ist weder der Teppich noch der baumelnde Lichtschalter.

Steht man unter der Dusche bemerkt man schnell, dass hier etwas anders ist. Ebenso wie beim kohlensäurefreien Zapfen eines Ale-Biers im Pub ist auch in der Dusche kein Druck auf der Leitung. »Water pressure« ist eines der meistgehörten Wörter in britischen Häusern. Die Wasser-Leitungssysteme im Land sind so alt und schlecht gewartet, dass die Duschen in den meisten Städten den Eindruck machen, Prostata-Probleme zu haben. Es tröpfelt und fließt, aber es schwallt eben nicht. Wenn ich den Duschkopf umdrehe und auf die Decke ziele, formt das Wasser einen nicht mal 30 Zentimeter hohen Springbrunnen. Dreht gleichzeitig ein Mitbewohner in der Küche den Wasserhahn auf, sinkt die Säule meines kleinen Wasserspiels noch mal auf die halbe Höhe ab.

Und das Problem ist landesweit gleich, selbst in Hotels ist oft nicht gut duschen. Daher haben viele Haushalte eine Elektrodusche im Bad. Diese sorgt für zusätzlichen Wasserdruck.

Für jemanden, der an seiner Gesundheit hängt, besteht das Wort Elektrodusche aus zwei Wortteilen, die so eigentlich nicht zusammengefügt werden sollten. Elektro! Dusche!

In einem Land, in dem aus Angst vor einem Elektroschock der Lichtschalter ein Seil ist, baut sich der Hausbesitzer also eine elektrische Anlage direkt in die Nasszelle.

Klingt gefährlich, hat aber natürlich den Vorteil, dass man in Zukunft Strom- und Wasserzähler gleichzeitg ablesen kann. Eigentlich clever.

Außerdem macht ein kleiner Stromschlag am Morgen wacher als ein Kaffee oder Breakfast Tea.

Ob nun Teppich oder Fliesen, Tee oder Kaffee – es lebe der Unterschied! Und ob Meilen, Quadratmeter und Pferdemaße nun Hand und Fuß haben, ist doch wirklich egal. Ob englische Musik besser ist als deutsche Autos, auch. Eigentlich mögen wir uns doch sehr.

Genießen wir also einfach die Unterschiede und freuen uns über das, was uns eint: das Unverständnis gegenüber dem gemeinsamen Nachbarn. So rief mir tatsächlich mal ein Zuschauer rein: »At least he's not French!«

TWO WORLD WARS AND ONE WORLD CUP!

– Die schönsten Heckles (Zwischenrufe) –

Ein wesentlicher Unterschied zwischen einem deutschen und einem englischen Publikum ist definitv das Zwischenruf-Verhalten.

Bierschwangere Heckles, also Zwischenrufe, gehören in England nämlich zur Comedy wie das frühe Ausscheiden zur Fußball-WM und -EM. Comedy wird bei den Briten als enger Dialog gesehen, nicht als Monolog, dem der Zuschauer aus der Distanz zuhört. Heckling ist dabei eine Art Sport. Es geht darum, den Komiker mit einem guten Zwischenruf herauszufordern. Verdient er sich seine Position auf der Bühne durch eine lustige Antwort? Oder gewinnt das Publikum? Die lustige Replik nach einer Attacke heißt dabei Comeback. Ist das Comeback nicht lustiger als der Heckle, habe ich als Komiker ein Problem. Sofort droht der Status-Verlust, und die Meute wittert Schwäche. Es kann dann eng werden. Da ich schon in der Schule immer das letzte Wort haben musste, kommt mir dieser Teil der englischen Kultur sehr entgegen. Und dieses jahrelange Training, das ich genoss, bevor ich auf der Insel ankam, sollte nötig sein, denn ich bekam es plötzlich mit einem starken Gegner zu tun: dem Witz des englischen Publikums. Ein harter, aber wunderbarer Wettbewerb.

Ich muss mich dabei immer an meine überlegene strategische Position erinnern, denn wer das Mikrofon hat, ist im Vorteil. Und wer das Ganze beruflich macht, allemal. Aber manchmal gilt es, die Überlegenheit eines Zwischenrufes einfach anzuerkennen.

Nach Tausenden von Auftritten kommt natürlich eine Vielzahl fantastischer aber auch stumpfsinniger Heckles zusammen. In Erinnerung geblieben sind vor allem die originellsten, die sabotierendsten und die ständig wiederkehrenden Zwischenrufe. Fangen wir mit den unoriginellen Heckles an. Sehr gerne wird etwas auf Deutsch reingerufen: »Wo geht es zum Bahnhof?« oder »Schnell, schnell!«. Sehr beliebt ist natürlich auch der wortlose Hitler-Gruß. So etwas ist dann schnell mit einem billigen Gag erledigt: »Ich weiß, dass dieser Bunker hier sehr verführerisch ist, aber lass den Arm unten.«

Der Zweite Weltkrieg ist bei den Heckles, die ich abbekomme, das dominierende Thema. Vor allem in Städten, die damals stark in Mitleidenschaft gezogen wurden, wird das Thema gerne aufgegriffen. So zum Beispiel in Liverpool, das im Jahr 1940 schwer von deutschen Bomben getroffen wurde. In der Beatles-Stadt zeugt noch heute eine ausgebombte Kirche als eines der Wahrzeichen der Stadt davon. Von allen Städten Großbritanniens trete ich dort am liebsten auf, denn in Liverpool ist immer Dampf im Saal. Einmal rief ein Zuschauer nach wenigen Sekunden: »Your grandad bombed my grandad's chippie!«. Der Chippie ist der Chip-Shop, also die Pommesbude – eine unantastbare, heilige Institution auf der Insel, vor allem im ruhrgebietsähnlichen Norden Englands. Ein Riesen-Lacher durchzog den Club, ein klassisches Beispiel für einen Top-Zwischenruf. Ich antwortete: »I apologise. And also, sorry for the bombed-out church!« Comeback gelungen. So etwas beeindruckt das Publikum und lässt den Rest des Auftritts zum Spaziergang werden. Das ist leider nicht immer so. Bei einem Auftritt im nordenglischen Newcastle rief jemand sehr laut aus den hinteren Reihen den Schlachtruf der englischen Siege: »Two World Wars and one World Cup!« Da schlug ich vor, dass ich das Thema Fußball verschweige, wenn das Publikum dafür im Gegenzug das Thema Krieg unter den Teppich kehrt. Wunschdenken! Alleine das Aussprechen der Wörter Krieg und Fußball ließ die Hölle losbrechen. Es begann ein zwanzigminütiges Hin und Her, bei dem es nicht viele Gewinner gab. Es war zwar sehr lustig, aber eben kein normaler Auftritt mehr, es glich eher dem verbalen Schlagabtausch zwischen zwei Preisboxern beim Wiegen. Auch eine gute Show, aber nicht der Sport, für den das Publikum gekommen war. Trotzdem hat der Heckler den Auftritt nicht sabotiert oder zerstört, er hat die Show nur verändert. Sie war ja immer noch lustig und unterhaltsam, aber eben nicht mehr planbar. Das ist dann eine sehr einmalige Aufführung, die auch ihren Charme hat, aber wahnsinnig anstrengend sein kann. Das Seltsamste ist, wenn der Heckler nach der Show auf mich zukommt und einen auf bester Kumpel macht. Nach dem Motto: Waren WIR nicht lustig? Es muss eine Art Stockholm-Syndrom sein.

Dass mein Komiker-Kollege Jim Jeffries bei einem Auftritt in einem Club in Manchester auf der Bühne Opfer der physischen Punch-Line eines Hecklers wurde (er bekam einen Faustschlag ins Gesicht), ist eher weniger lustig. Dass der Zwischenfall gefilmt wurde, schadete seiner Karriere allerdings nicht, höchstens seiner Zahnreihe. Vielleicht war das Ganze ja sogar geplant. Für ein karrierefördernes Video, das sich online in Windeseile verbreitet, ist ein Preis in Höhe eines Zahns nicht der schlechteste Deal.

Der Comedian David Whitney wurde von einem Heckler beim Edinburgh Fringe – dem größten Comedy-Festival der Welt – so sehr provoziert, dass er ihn in Zidane-Manier mit einem Kopfstoß ausknockte. Man nennt diesen Kopfstoß in Schottland übrigens »Glaswegian Kiss«, also Glasgower Kuss. Denn die schottische Großstadt ist nicht gerade als Kuschel-Hochburg bekannt. Bei meinem ersten Auftritt dort fragte ich daher ein Mädchen im Publikum, ob es stimme, dass Glasgow ein so raues Pflaster sei. Ihre Antwort: »Keine Ahnung, aber letzte Woche war ich auf dem Heimweg von einer Party und fand in einem Mülleimer einen abgetrennten Kopf. Ich schätze also, es stimmt.«

Einmal wartete ich im Club auf meinen Auftritt und sah dem Comedian vor mir zu. Es lief nicht besonders gut bei ihm, und er wurde zusätzlich abgelenkt durch einen Zuschauer in der zweiten Reihe, der etwas auf einem Zettel notierte. Auf die Frage des Komikers, was der Zuschauer da aufschreibe, gab dieser die glorreiche Antwort: »You are so bad, I'm writing a suicide note.«

Man muss dann anerkennen, dass das Publikum witziger sein kann als der Komiker.

Ein anderes Mal war ich in der Mitte meines Sets, in einem Londoner Comedy-Club am Piccadilly Circus. Ich hatte viele Gags über Deutschland gemacht und fragte, ob noch andere internationale Gäste im Publikum seien. Eine Gruppe meldete sich. Ich fragte: »Woher seid ihr?« Man antwortete: »Israel.« Ich: »Shit!«, warf das Mikrofon auf den Boden und rannte aus dem Saal. Endlich! Endlich war ich mal aus meiner eigenen Show herausgerannt – und hatte dabei auch noch das Publikum zum lauten Szenenapplaus gebracht.

Einen Zwischenruf, den ich niemals vergessen werde, lieferte eine harmlos aussehende Frau aus dem Publikum. Ich hatte gerade einen anderen Zuschauer nach dessen Job gefragt. Daraufhin rief die Dame: »Mich traust du dich wohl nicht zu fragen!« Sie hatte den Köder ausgeworfen, und ich biss an. Was konnte sie schon machen? Prostituierte, Bestatterin, Bürgermeisterin, Tier-Besamerin, mir waren schon viele Berufe im Publikum untergekommen. Irgendetwas Lustiges fällt mir da eigentlich immer ein, dachte ich: »Also gut, was machen Sie beruflich?«.

»Ich arbeite fürs Holocaust-Zentrum.«

Oh Gott! Ein leises Raunen ging durch den Saal. Und ich antwortete reflexartig: »Na ja, mein Großvater hat etwas ganz Ähnliches gemacht.«... Gut, dass keine Kameras mitliefen.

Ein richtiges Problem habe ich aber dann erst, wenn ich den Zuschauer nicht verstehe. Das kommt oft vor, wenn ich in Gebieten mit starkem Dialekt auftrete, zum Beispiel in Glasgow, Liverpool oder Manchester. Dann greift ein Standard-Mechanismus, und ich mache mich darüber lustig, dass sein Englisch schlechter ist als meins. Oder dass ich nicht genug getrunken habe, um ihn zu verstehen.

In Schottland saß ein Zuschauer vor mir, der mir sagte, woher er kam. Ich musste circa achtmal nachfragen, bis ich (mit der Hilfe des restlichen Publikums) endlich verstand. Er kam aus Ayr.

Ich wusste zum einen nicht, dass es einen Ort namens Ayr gibt, und zum zweiten sprach er es in einem derart heftigen schottischen Akzent aus, dass es eher klang wie der Buzzer in einer Game-Show: eeeeeeh!

Aus Ayr also. »You're from Air? That's a place? I'm from Earth. Nice to meet you.«

Heckling gibt es vor allem in den Comedy-Clubs, also dort, wo die Zuschauer nicht hingehen, um einen bestimmten Komiker zu sehen, sondern wegen der Mixed-Shows kommen. Im Falle einer Solo-Show ist das anders. Dort gibt es weit weniger Zwischenrufe, denn das Publikum ist speziell wegen des Künstlers da. Der bekannte (und harte) britische Komiker Jimmy Carr kultiviert das in seinen großen Tour-Shows und fordert das Publikum auf, ihn mit Heckles zu attackieren, der ebenso düstere Frankie Boyle macht es genauso. Die Freude am Dialog, an der Beleidigung und natürlich am Comeback ist einfach zu groß.

Da Heckling mittlerweile ein so wunderbar etablierter Sport in England ist, ist es nicht erstaunlich, dass selbst die Veranstalter indirekt dazu aufrufen. So bewerben sie gerne ihren Moderator mit den Worten: »Wer ihn heckelt, kann sich auf was gefasst machen.« Das ermutigt die Zuschauer natürlich umso mehr.

Es gibt jedoch nicht nur lustige Heckles, oft wird nur gepöbelt. Vor allem wenn ein Komiker einen schlechten Auftritt hat, lässt das Publikum ihn das spüren: »You're shite!«, »Not funny!«, »Tell us a joke!« oder »Never quit your day job!« sind dabei Klassiker, gern wird auch gebuht und »Off! Off!« gerufen, die Höchststrafe. In solchen Momenten ist die englische Comedy näher am Stierkampf als am Theaterbesuch. In Deutschland fällt dieses Arena-Element aus, hier wird ein unlustiger Komiker trotz ausbleibender Lacher bis zum Ende seines Auftritts nicht unterbrochen. Man ruft nicht dazwischen, stattdessen wird am Ende einfach weniger applaudiert. In England ist die Geduld bei Comedy-Shows nicht so ausgeprägt. Das ist insofern bemerkenswert, als ich die Engländer meist als unglaublich beharrlich erlebe: im Straßenverkehr, beim Anstehen, im Bus, im Streit, eigentlich immer. Nicht nur höflich, sondern grundgeduldig. Und wie bei jedem Extremverhalten muss auch dieses Pendel irgendwann in die andere Richtung ausschlagen – und das passiert offenbar, wenn jemand auf der Bühne einen schlechten Witz erzählt. Da hören britischer Spaß und englische Geduld auf.

Am schönsten ist es aber, wenn sich das Publikum untereinander heckelt. Als ich ein Paar in der ersten Reihe fragte, wie viele Kinder sie hätten, und die Frau »fünf« antwortete, rief jemand von hinten: »Reicht langsam. Hör auf!« Das sind mir die liebsten Auftritte, wenn im Publikum eine Dynamik entsteht.

Die Frau vorne zeigte auf den Mann hinten und antwortete: »He's the Dad.«

Vielleicht heckeln die Zuschauer sich auf der Insel einfach mehr, weil sie ein lustigeres Volk sind. Dass wir Deutschen keinen Humor haben, ist natürlich Unsinn. Aber dass die Briten als Volk lustiger sind, müssen wir wohl anerkennen. Der Taxifahrer, der mich in meinem ersten Monat auf der Insel zu einem Auftritt fuhr, formulierte es treffend:

»Good luck performing here. In Britain everyone is a comedian.«

ZUM SCHMIERIGEN LÖFFEL

– Die feine englische Essens-Art –

Eigenheiten einzelner Länder sorgen für Unterschiede, Unterschiede sorgen für Klischees, und Klischees sorgen für Humor. So gibt es diesen alten Witz von den drei dünnsten Büchern der Welt: »1000 Jahre deutscher Humor«, »Die größten französischen Militärerfolge« und »Die besten Rezepte der englischen Küche«. Mittlerweile hat Amerika zwar die Briten abgelöst, was den Ruf des schlechten Essens anbelangt, dennoch gilt die Insel nach wie vor als kulinarische Wüste. Zu Recht? Fangen wir die Untersuchung mit einem britischen Klassiker an: Was dem Amerikaner sein Diner, ist dem Engländer sein Greasy Spoon. Schmieriger Löffel, ein wunderbar britischer Begriff, selbstironisch bis ins Mark. Diese kleinen Restaurants gibt es in jedem Ort, in jedem Viertel, sie sind eine britische Institution. Das Essen dort ist günstig, schnell und somit arbeiterklassenfreundlich. Der Engländer sagt dazu: cheap and cheerful. In der DDR hätte man es gubi genannt, gut und billig. Die angebotenen Speisen sind sehr britisch, das Geschäftsmodell auch, denn die meisten Läden werden von Einwanderer-Familien geführt.

An der Fassade der meisten Greasy Spoons steht in großen Lettern CAFE, was in meinen ersten Monaten in London zu einigen Missverständnissen führte. Auf der Suche nach einem schönen Café klapperte ich irrtümlicherweise alle Greasy Spoons in meiner Nähe ab. Bis ich merkte, dass ein klassisches Café in England nicht Café heißt, sondern Coffee Shop. Da ich in der Nähe der deutsch-holländischen Grenze aufgewachen bin, war der Begriff eigentlich schon anderweitig vergeben. Nun suchte ich also Coffee Shops, um dort zu schreiben. Das konnte ja heiter werden – high literature, sozusagen. Dabei wären die Greasy Spoons fürs Schreiben eigentlich sehr geeignet, ich könnte dort wunderbare Milieu-Studien für mein Comedy-Material betreiben, Ablenkung durchs Internet gibt es nicht, und billig sind sie auch. Dennoch gehe ich, ganz Kontinentaleuropäer, zum Schreiben lieber in den Coffee Shop, denn richtigen Kaffee bietet ein Greasy Spoon nicht an, es wird stattdessen Instant-Kaffee serviert oder im besten Falle abgestandener Filterkaffee, ansonsten natürlich Tee. Für 60 Pence – statt drei Pfund für ein Heißgetränk im Coffee Shop. Sechzig Pence liest sich für einen Londoner wie: gratis.

In der Regel bin ich, wie jeder Bewohner der britischen Hauptstadt, skeptisch, wenn etwas zu billig ist. Ein Stück Pizza für unter 4 Pfund? Da sind sicher Abfälle drin (»Einmal Pizza Gammelfleischiana!«). Ein Stück Kuchen für unter £ 3,50? Da muss Kinderarbeit im Spiel sein.

Ich war einmal mit meinem wunderbaren Comedy-Kumpel Henning Wehn, der ebenfalls als deutscher Komiker die Insel unsicher macht, in einem spottbilligen, heruntergekommenen Pub, wo uns kostenlos ein Silbertablett voller unangetasteter Sandwiches angeboten wurde. Ein ganzes Tablett. Kostenlos! Unser Kohldampf war zwar groß, die Skepsis und unser Überlebensinstinkt siegten aber. Wir lehnten höflich lügend, also sehr englisch, ab: »Thank you, but we've eaten already.«

Die Bedienung erwiderte ebenso höflich lügend: »No worries!«, trat aufs Fußpedal des Mülleimers und kippte sämtliche Sandwiches in die Tonne. Beinahe hätten wir ihren Abfall gegessen.

Die Londoner Niedrigpreis-Skepsis kann also Leben retten. Beim Tee für 60 Pence, wie er in Greasy Spoons angeboten wird, macht man aber nicht viel falsch – schließlich hält sich das Risiko in Grenzen.

Der starke schwarze Tee wird dabei liebevoll »Builder's Tea« genannt, also Bauarbeiter-Tee. Nicht zu verwechseln mit der in Deutschland bei Bauarbeitern zum Frühstück sehr beliebten »grünen Semmel«, der Mini-Flasche Jägermeister. Der englische Tee ist natürlich alkoholfrei, denn er ist kein irischer Kaffee. In den Pub geht es erst später.

Es geht sowieso niemand in die kleinen kantinenartigen Restaurants, um gemütlich einen Kaffee oder Tee zu trinken. Es geht darum, schnell etwas in den Magen zu bekommen, ein Full English Breakfast, eine Portion Pommes, einen Burger – im Prinzip alles, was man frittieren oder grillen kann. Der Schotte geht da noch ein bisschen weiter und frittiert sogar Mars-Riegel und Pizzen. Die frittierte Pizza schmeckt übrigens überraschend gut. Eine wunderbare Erfahrung, die einen nur £ 2,50 kostet – und natürlich zwei Wochen an Lebenserwartung. Aber es geht ja hier um Essen, nicht um Cholesterinwerte. Würde man diese genauer unter die Lupe nehmen, müssten alle Greasy Spoons umgehend zu Smoothie-Bars umgebaut werden. Und ganz England wäre Geschichte.

Abgesehen von Haggis und diversen anderen Kleinigkeiten unterscheiden sich die Küchen der einzelnen britischen Nationen übrigens nur marginal. So sind zum Beispiel das Full Irish Breakfast, das Full Scottish Breakfast und das Full English

Breakfast nahezu identisch. Vor allem darin, dass sie in der Regel von einem polnischen Koch zubereitet werden. Es ist eine Frage der Zeit, bis in ganz Großbritannien ein Full Polish Breakfast angeboten wird: Wurst, Wodka und Zigarette.

Niemand würde mehr etwas anderes bestellen.

Abgesehen vom Essen sind die Greasy Spoons aber großartige Orte, denn sie sind so schön altmodisch. In den meisten Cafés herrscht ja mittlerweile eine Wifi-Kultur vor, in der Laptops, E-Reader und Smartphones das Gespräch und die klassische Zeitungslektüre ersetzen. Das ist im Greasy Spoon anders, dort reden die Menschen zwar auch nicht miteinander, dafür liegt aber auf jedem Tisch eine Qualitätszeitung aus: *The Sun*, die britische Cousine der *BILD*. Hat das Restaurant sechs Tische, liegen also sechs Ausgaben der *Sun* aus, eine pro Tisch, alle unterschiedlichen Datums. Wenn ich als Gast Glück habe, setze ich mich an einen Tisch, auf dem eine Zeitung liegt, die weniger als fünf Tage alt ist. Bei einem journalistisch anspruchsvollen sowie tagesaktuell relevanten Blatt wie *The Sun* ist so etwas natürlich wichtig. Nichts ist schließlich so alt wie die Brüste von gestern.

Die englische Küche mag einen schlechten Ruf haben, doch kommt man mit ihr nur noch selten in Kontakt, denn vor allem in London wird außerhalb des Greasy Spoons nicht britisch, sondern international gekocht: indisch, jamaikanisch, kenianisch, die Bandbreite ist gigantisch. Die große Auswahl internationaler Küchen ist eine der besonderen Annehmlichkeiten, die das frühere Imperium mit sich bringt. Es scheint folgender Grundsatz zu gelten: Je weiter sich ein imperialistisches Reich ausdehnt, umso besser wird seine Küche. Vielleicht war das auch Hitlers wahres Ziel, er wollte einfach nur besser essen.

In Großbritannien hat die Küche definitiv eine Internationalisierung erfahren. So ist das Curry mittlerweile die Nummer eins auf der Liste der meist georderten Speisen, also ein indisch/pakistanisches Gericht. Wobei es Currys natürlich in mehreren Dutzend Ländern weltweit gibt. Die Londoner Küche lässt einen dabei immer neue exotische Geschmäcker und Bräuche entdecken. Das »Goat Curry« beim Jamaikaner in meiner Straße im Südosten Londons zum Beispiel ist unglaublich lecker und alles andere als typisch englisch. Ziegen sind in Großbritannien klassischerweise schon immer eher Käse- als Fleichlieferanten gewesen. Doch das hat sich mittlerweile geändert. Ein Hoch auf die Ankunft der Jamaikaner!

Das englische Essen konzentriert sich also auf den Greasy Spoon und den Pub. In Letzeren geht man klassischerweise sonntags, denn man übt im Pub nicht nur das abendliche Wettsaufen, sondern geht dann tags darauf mit der ganzen Familie zum Mittagessen dorthin – wie der Bayer in sein Wirtshaus. Der »Sunday Roast«, also der Sonntagsbraten, ist dort eine britische Institution. Dazu gibt es ganz gesellig das »Hair of the Dog«. Was ähnlich exotisch klingt wie das »Goat Curry«, hat aber dieses Mal nichts mit Tierprodukten zu tun. Hair of the Dog ist der englische Begriff für das hilfreiche Konterbier am Tag danach. Somit muss ein weiteres Tier dran glauben, nämlich der Kater vom Vortag.

Das Hundehaar bezieht sich übrigens auf eine alte medizinische Überlieferung: Nach dem Biss eines Hundes sollte der Gebissene ein Haar dieses Hundes in die Wunde legen. Diese würde sich dann nicht entzünden und somit besser heilen. Ob dies tatsächlich wirkt, darf bezweifelt werden. Aber ich stelle mir viele lustige Jagdszenen im mittelalterlichen England vor. Ein angetrunkener Brite läuft schreiend vor einem zähnefletschenden Hund davon, der Hund schnappt zu, fügt dem Mann eine Wunde zu und rennt weg. Der arme Trinker schreit vor Schmerz laut auf und realisiert: Hair of the Dog! Er braucht das Haar. Nun dreht er den Spieß also um und beginnt dem Hund hinterherzujagen. Und am Straßenrand stehen die anderen Dorfbewohner und grölen.

Ich bin mir sicher, so wurde Rugby erfunden.

UND ICH STERBE
TAUSEND TODE (2. AKT)

– Noch mehr Albtraum-Auftritte –

Mit zerfetzter Hose von einem räudigen Köter durchs Dorf gejagt zu werden, und das vor Publikum, könnte auch die Geburtsstunde der britischen Comedy-Kultur gewesen sein.

So ziemlich jeder von uns stand schon mal vor einem Publikum und hat sich den Rettungsschuss gewünscht. Hinter der Bühne gibt es daher unter Komikern vor allem ein Thema: schlimme Auftritte. Ob geteiltes Leid wirklich halbes Leid ist, weiß ich nicht. Immerhin sind geteilte Leidensgeschichten jedoch doppelt unterhaltsam. Außerdem verstehen einen die Kollegen ja am besten, schließlich hat jeder diese schrecklichen Auftritte. Es gibt zwei, drei Kollegen, die dies nie zugeben würden. Aber das ist mir relativ egal, sollen sie ihr Leid mit sich selbst teilen ...

Nun ist mein Job ein seltsamer. Denn die guten Auftritte bleiben kaum in Erinnerung, die schlimmen prägen sich dafür umso hartnäckiger ein. Wird ein Komiker nach seinen zehn besten Auftritten gefragt, fängt das große Grübeln an, die Antwort fällt zögerlich aus.

Aber die traumatischen Erlebnisse, die Narben hinterlassen haben... diese Erinnerungen bleiben. So kommt auf die Frage nach den zehn schlimmsten Auftritten die Antwort wie aus der Pistole geschossen. Das ist unsere Munition. Und das Magazin mit den Trauma-Patronen ist voll. Die Dinger bleiben, als säßen sie nicht im Magazin, sondern im Gewebe fest. Jeder schlimme Auftritt ein Steckschuss. Mein persönlicher Favorit als Schauplatz für eine solche Trauma-Erfahrung sind Shows, die man für eine Firma absolviert. Das sind geschlossene Privatveranstaltungen, auch Corporate Gigs oder Galas genannt. Egal, wie man sie nennt, meist haben sie mit einer Comedy-Show nicht viel zu tun. Da hat sich der Eventmanager des Unternehmens gedacht: Comedy im Fernsehen und im Club ist toll, das funktioniert doch sicher auch ganz prima bei unserer Weihnachtsfeier im Hotel »The White Hart«. Dass im Weißen Hirschen weder Licht und Ton, noch sonst was für Comedy geeignet ist, scheint ihm dabei egal zu sein. Außerdem will keiner der Anwesenden Comedy sehen, schließlich ist es die Weihnachtsfeier. Da hat man andere Pläne.

So bin ich bei einer großen Firmenveranstaltung vor über 1000 Mitarbeitern einer Spedition aufgetreten. Das Ganze fand in einer Halle statt, in der alle Boeings der British Airways Platz gefunden hätten. Das Publikum, also die Belegschaft, stand so weit von der Bühne entfernt, dass selbst Usain Bolt mehr als dreißig Sekunden gebraucht hätte, um von der ersten Reihe bis zu mir, dem einsamen Clown auf der Bühne, zu rennen. Ideale Bedingungen also. Wir erinnern uns: Comedy muss intim, nah und eng sein. Da passt ein Flugzeughangar natürlich perfekt.

Zur Begrüßung sprach der CEO und Besitzer der Firma. Und selbst ihm hörte niemand zu. Dem eigenen Chef. Dem, der die Gehälter zahlt.

Ich freute mich also schon auf meinen Auftritt. Vor mir

spielte noch ein Gitarrist, der ungefähr so viel Aufmerksamkeit bekam wie ein Statist bei Star Wars. Danach war ich dran. Ich sollte eine halbe Stunde lang spielen, doch schon die Anmoderation ging unter. Wenn schon keiner die Ankündigung gehört hat, kann es ja nur noch bergauf gehen, dachte ich. Ging es aber nicht. Es wurde noch schlimmer, ich redete, und keiner hörte zu. Mir schoss die berühmte philosophische Frage durch den Kopf: Wenn ein Baum im Wald umfällt, aber niemand in der Nähe ist, macht er dann trotzdem ein Geräusch?

Ich war der Baum. Und ich sah mir selber beim Waldsterben zu. Es war ein Debakel, was also tun?

Ich erinnerte mich an den CEO, der vorhin mein Schicksal geteilt hatte. Aber ihm hatten immerhin seine direkten Untergebenen zugehört, circa zehn Leute, die zwischen Bühne und Pöbel saßen. Zehn Leute, das wollte ich auch. Also holte ich den Vorstandsvorsitzenden wieder auf die Bühne, machte ein improvisiertes Interview mit ihm und brachte ihn dazu, seine Lieblingswitze zu erzählen. Wir erinnern uns: geteiltes Leid und so weiter...

Wir teilten also unser Leid, die Zuhörerzahl hingegen verdoppelten wir. Vorher waren es null, nun immerhin doppelt so viele. Vielleicht kommt daher die Weisheit mit dem geteilten Leid und der doppelten Freude. Denn zweimal null bleibt null. Und null durch zwei ebenso. Im Prinzip steht man am Ende vor zwei Nullen – und das ging dem Publikum bei diesem Auftritt genauso.

An solchen Abenden denken die Zuschauer, ich wäre der unwitzigste Komiker aller Zeiten. (Ich übrigens denke das dann auch.) Am Tag zuvor war ich vielleicht noch vor 200 freiwilligen (!) Zuschauern im Comedy-Club der witzigste Comedian, den sie seit Langem gesehen haben, heute schlägt der Tacho komplett in die andere Richtung aus. Im Leben eines

Comedians ist es ein schmaler Grat zwischen Erfolg und Ablehnung, auf den man an einem solchen Abend aufs Brutalste hingewiesen wird. So wie ein Frischvermählter seine Gattin für das großartigste Wesen auf Erden hält. Fragt man ihn aber nach dem ersten Seitensprung der Angetrauten nach seiner Meinung, fällt sein Votum wohl etwas anders aus. Es ist dieselbe Frau, aber die Umstände haben sich geändert.

Manchmal sind die Umstände von vornherein so schräg, dass ich eine Buchungsanfrage aus Prinzip nicht ablehnen kann. So geschehen im Jahr 2010. Kurz nachdem David Cameron britischer Premierminister geworden war, hielt seine konservative Partei ihren Parteitag in Birmingham ab. Nun muss man wissen, dass die Conservative Party in Großbritannien ihrem Namen wirklich alle Ehre macht. Bei den Tories trifft sich die reiche Oberschicht, und die möchte unter sich bleiben. Doch wie bei jeder Regel gibt es auch hier eine Ausnahme, und so buchte man sich zur eigenen Unterhaltung zwei Hofnarren, nämlich einen TV-bekannten Thatcher-Imitator und mich.

Als ich die Anfrage bekam, musste ich lachen. Ich bei den Tories? Und ausgerechnet mit Margaret Thatcher auftreten? Es war mir klar, dass so etwas nur desaströs enden konnte.

Ich sagte also zu.

Ich durfte mich hier nicht nur über Konservative lustig machen und meine bereits gesammelten Erfahrungen mit Tontauben schießenden Lords einsetzen – ich wurde auch noch in Old Money dafür bezahlt. Außerdem reizte mich der Gedanke, nach Margaret Thatcher auftreten zu müssen. Im Thatcher-Kostüm steckte Steve Nallon, der als Imitator in der satirischen Puppen-Sendung »Spitting Image« sehr bekannt geworden war, »Hurra Deutschland« auf Englisch.

Hurra, dachte auch ich, als ich unsere Bleibe sah. Steve und ich wurden in einem billigen Touristenhotel in Birmingham untergebracht, die 5-Sterne-Unterkünfte waren schließlich alle durch die Herren Delegierten belegt. Immerhin bekamen wir zwei Einzelzimmer, da war man großzügig.

Schnell kam ich zu dem Schluss, dass es im Prinzip besser ist, beim Parteitag einer linken Partei aufzutreten, weil da die Politiker sicher populistisch volksnah im Drei-Sterne-Hotel absteigen. So bleiben dann die Luxusherbergen für die Gast-Künstler frei. Beim nächsten Mal vielleicht.

Heute musste ich also mit der zweitklassigen Unterkunft vorlieb nehmen. Aber ich wollte da mal nicht allzu konservativ denken.

Nun war der Plan dass wir abends bei der Party auftreten sollten, die vom Haus-und-Hof-Korrespondenten der konservativen Partei organisiert wurde. Am frühen Abend, noch vor Einlass, sahen Steve und ich uns den Saal an, der dem konservativen Anlass gerecht wurde: Weiße Tischdecken auf Cocktail-Tischen, eine Zigarren-Lounge und Champagner-Kühler ließen kein Klischee aus. Mein Gehirn durchzuckte ein Angstblitz und erinnerte mich daran, dass Comedy am besten im Arbeiterklasse-Umfeld funktioniert. Zu spät.

Steve und ich zogen uns zurück, ich ging meine Gags durch, und er verwandelte sich in Maggie Thatcher. Kein Wunder, dass er durch die Show »Spitting Image« berühmt geworden war. Schließlich heißt das auf Deutsch »täuschend ähnliches Abbild«, und das war er. Und er klang sogar wie die Eiserne Lady, es war beeindruckend.

Steve war Margret Thatcher – ich war immer noch ich.

Was die Sache für mich nicht besser machte. Der ganze Rahmen hier war sowieso schon ein programmiertes Desaster, und nun musste ich auch noch dem Superstar der Tories folgen: erst die Vorzeige-Konservative schlechthin, dann ich. Worauf hatte ich mich hier eingelassen?

Es ging los. Die reichen Delegierten standen Champagner trinkend um die Stehtische herum und klatschten Politikerlike dem Moderator Beifall. Es war dieses typische Macht-Klatschen, das man aus den Parlamenten dieser Welt kennt, langsam, laut und prätentiös. Mit abwertendem Blick. Es lief also alles nach Plan.

Nun betrat Margaret Thatcher die Bühne, der Saal tobte. Steve hatte die Menschen sofort auf seiner Seite. Seine Gags zündeten alle: »Natürlich wollen wir Konservativen den Planet Erde retten. Schießlich gehört uns der Großteil davon.« Lacher. Thatchers Antwort: »I don't normally laugh, cos I had my sense of humour removed.« Lacher.

Es war das perfekte Comedy-Set im perfekten Moment, für genau das richtige Publikum. Alles lief richtig. Das Einzige, was nicht richtig lief war, dass ich danach auftreten musste. Was für ein Unterfangen. Steve räumte ab, und der Moderator sagte im Anschluss einen Satz, für den ich ihm noch heute dankbar bin: »Nach so vielen Lachern haben wir uns eine Pause verdient.« Was Besseres konnte mir nicht passieren. Der Saal hatte Zeit, sich zu beruhigen und Lady Thatchers Auftritt zu verarbeiten. Nach der Pause moderierte mich der Korrespondent und Moderator Iain an. Er sagte, dass eine weitere Attraktion folgen sollte: ein lustiger Deutscher. Der Saal johlte wieder. Ich betrat die Bühne und wurde skeptisch beäugt. Alle warteten auf den ersten Satz. Ich auch. Und nach einer sehr langen Pause sagte ich: »Ich muss sagen, ich bin ein bisschen nervös, dass ich hier auf die legendäre Lady Thatcher folgen soll. Ich fühle mich wie der John Major des Abends.«

Applaus und Lacher. Sie waren an Bord. Das Tory-Publikum wusste es zu schätzen, dass ein Deutscher sich mit der Politik Englands und der internen Dynamik der Konservativen befasst hatte – und einen Witz darüber machte. Alle waren erleichtert. Und mit »alle« meine ich vor allem: mich.

Der Rest des Auftritts lief überraschend gut und Steve und ich danach zur Bar.

Wir hatten es gemeinsam überlebt und stießen darauf mit einer Flöte Kapitalistensprudel an. Das war ein Zeichen für ein glückliches Publikum. Denn hat die Elite Laune, bekommen sogar die Clowns Champagner.

Dieser Auftritt endete gut, der nächste leider nicht.

Und wieder einmal lag die Schuld dafür zu hundert Prozent bei mir – und das schon im Moment der Buchungsannahme. Auf Christine konnte ich es dieses Mal nicht schieben, sie war schließlich nur noch für Festivals zuständig. Und das hier sollte zwar als Festival der Unzufriedenheit enden, war aber als Nicht-Festival-Show geplant, obwohl die Umstände durchaus speziell waren.

Denn in England gibt es zwei Comedy-Szenen, den Mainstream Circuit und den Urban Circuit. Was politisch korrekt formuliert ist, umgeht lediglich die Bezeichnungen schwarze und weiße Comedy. Es sind zwei ziemlich stark voneinander abgegrenzte Szenen, bei denen es nur wenig Durchlässigkeit gibt. So treten bei den Urban Gigs ganz selten weiße Komiker auf und bei den Mainstream-Shows nur wenige Schwarze. Die Shows sind sehr unterschiedlich, das Publikum ist ein anderes, und somit sind die Gigs auch für die jeweils andere Komikerschaft nicht leicht zu spielen. Ein farbiger Komiker, der in beiden Szenen sehr erfolgreich ist, ist Rudi Lickwood. Mit Rudi bin ich schon oft aufgetreten, immer in der Mainstream-Szene, also bei weißen Shows. Nach einem schwierigen Auftritt, bei dem wir beide ganz gut abgeschnitten hatten, fragte er mich, ob ich nicht mal bei einer seiner Urban-Shows mitmachen wolle, in einem großen Theater in Northampton, immer ausverkauft, tolle Stimmung, gutes Geld. Ich sagte zu. Noch sollte ich die Konsequenzen nicht erahnen.

Am besagten Tag holte Rudi mich mit einem großen Van vor einer U-Bahn-Haltestelle ab. Im Wagen saß Rudis gesamte Familie, es war ein Happening. Schon während der Fahrt war die Stimmung besser als bei den meisten Gigs, alle sangen und klatschten zur Musik. Ich versuchte mitzumachen, wirkte aber so weiß und beweglich wie Per Mertesacker in der Eistonne.

Es machte eine Menge Spaß, und ich bekam einen Vorgeschmack. Am Abend war das Theater mit über 1000 Zuschauern gefüllt und bebte genau wie der Van auf der Fahrt. Eine derart ausgelassene Stimmung schon vor Showbeginn hatte ich vorher noch nie erlebt – und seitdem nie wieder. Es war eine Party, Rudi moderierte und war großartig. Genau wie die erste Komikerin. Es ging bei beiden viel um die Unterschiede zwischen Jamaikanern und Afrikanern, zwischen karibischen Müttern und afrikanischen. Die Menge drehte bei jedem Gag völlig durch, mal die karibischstämmigen, mal die afrikanischstämmigen Zuschauer, oft beide gemeinsam. Dazu gab es immer mal wieder Musik-Einspielungen mit fetten Beats und gleichzeitigen Tanzeinlagen des ganzen Saals. Alle rasteten aus. Und hinter dem Vorhang stand ich, der blasse Westfale, das deutsche Weißbrot, die Kalkleiste, der Rhythmusbefreite, der Exot, die Partybremse. Mir war klar, ich war hier falsch. Ich fühlte mich wie der Polizist, der bei der besten Party des Jahres an der Tür klingeln muss, weil ein bescheuerter Nachbar sich beschwert hat.

Wenn man nicht will, sondern muss. Wenn man weiß, dass es schiefgehen wird, aber es kein Zurück gibt. Das war das Gefühl.

Ich versuchte, es zu bekämpfen. Schließlich hatte ich einen Auftritt abzuliefern. Dann hörte ich meinen Namen durch den Vorhang. Und Rudi sprach ihn sogar beinahe richtig aus, anders als der Moderator damals bei der Gong-Show. Im Prinzip ist die falsche Ausnahme eher die Regel, kein Wunder, ist mein Nachname doch eher sehr deutsch in Schreibweise und Aussprache. Seit meinem ersten englischsprachigen Auftritt fragt mich daher vor der Show fast immer der Moderator nach der korrekten Aussprache meines Namens. Das Ergebnis auf der Bühne hat dann meist nichts mit der tatsächlichen Aussprache zu tun. Es gab schon ganz wunderbare Formulierungen, wie: Christian Shoot-a-lot. Die Besessenheit der Briten mit dem Zweiten Weltkrieg macht eben vor nichts halt. Eher alberne Varianten waren: Shootytoot, Skulty-Low, Shoulder-Low, Shoult-Loo oder School-Low. Im Ablaufplan des Abends, der in der Regel vorab per E-Mail verschickt wird und dann hinter der Bühne ausliegt, sind die Vor- und Nachnamen aller Künstler aufgelistet. Lediglich bei mir steht meist nur »Christian« oder »Christian the German«. Die meisten Veranstalter haben es längst aufgegeben, meinen Nachnamen korrekt zu schreiben. Was passiert, wenn der Show-Manager die gesamte Konzentration in die korrekte Schreibweise des Nachnamens investiert und den Vornamen dabei weniger beachtet, liest sich wie folgt: »Crtian Schulte-Loh«. Auch das kam schon vor.

Wegen meines Namens kann ich in England sagen: »Because my last name is Schulte-Loh, I am used to ending on a low.«

Doch als ich Rudi meinen Namen hören sagte, sah ich es kommen: Heute sollte ich nicht nur mit einem Tief enden, sondern auch mit einem beginnen. Tief folgt auf Tief folgt auf Tief, Sie sehen die Wettervorhersage für morgen Dienstag, den 17. November.

Ich betrat die Bühne, die Stimmung war gut. Noch. Denn schnell wurde klar, ich wirkte hier in etwa so gut platziert wie das Vitamin-C-Versprechen auf einer Weingummi-Packung. Zwar hörten mir alle zu, und die Lacher kamen an den richtigen Stellen. Doch die Stimmung während meines Auftritts hatte nichts mehr mit der Ausgelassenheit von vorhin zu tun. Immerhin waren die Zuschauer nett. Aber nett, das will ja niemand. Ich fühlte mich wie ein Kind, das die Eltern beim Monopoly-Spielen gewinnen lassen. So etwas ist kein Sieg, sondern lediglich der absichtliche Verzicht des Gegenübers auf einen fairen Wettkampf.

Meine Themen hatten für das Publikum keine große Relevanz, es fehlten die Beats und überhaupt die Schnittmenge. Ich gestand mir meine Niederlage ein und machte mich auf der Bühne über meine missliche Lage lustig. Jetzt lachten immerhin die vier Comedians durch den Vorhang laut über meine Kommentare, der Rest des Saales tat das nicht. Es stand also 4 zu 1000. Wenn das mal keine knappe Niederlage ist. Ich erinnerte mich an die Worte des Taxifahrers: »In this country everybody is a comedian.« Aber ich heute definitiv mal nicht.

Ich brachte den Auftritt irgendwie zu Ende, bevor nach mir die Bude wieder kochte: Jamaika, Afrika und die Welt. Die Stimmung war fantastisch, die Show ein großer Erfolg. Der weißeste Weiße aller Zeiten war schon wieder vergessen. Das Publikum war schnell mit der Verarbeitung, bei mir hält sie nach wie vor an.

Denn die bitterste Pille war noch zu schlucken. Nach der Show versammelten sich alle Comedians im Foyer des Theaters und holten sich Lob und Anerkennung der Zuschauer ab. Um jeden Komiker scharten sich Zuschauer und baten um gemeinsame Fotos – nur mich bat keiner. Noch schlimmer, mich fragten sogar einige Zuschauer, ob ich ein Foto von ihnen mit meinen Kollegen machen könnte. Höchststrafe bei maximaler Demütigung. Und neben mir feierten die Sieger.

Ich stand alleine am Rand und fühlte mich wie Júlio César, der brasilianische Torwart bei der WM 2014, direkt nach dem 1:7 gegen Deutschland – und die Fans fragten ihn, ob er ein

Foto von ihnen und Toni Kroos machen könnte. Menschen können so gemein sein...

Ich realisierte, dass Comedy nur funktioniert, wenn man sein Publikum versteht. Und wenn das Publikum eine Schnittmenge mit dem Künstler hat. Unsere Kreise heute hatten keine Schnittmenge, sie waren wie der nördliche und der südliche Polarkreis, weniger Schnittmenge geht nicht.

Es gibt Komiker die treten überall auf, ob Kreuzfahrtschiff, Karneval, Open Air, Mainstream oder Urban Circuit. Hauptsache Geld. Aber es gibt ja auch Fußballspieler, die gehen nach China oder Katar. Dann muss man sich eben nicht wundern, wenn's am Ende Mist wird und alle unglücklich sind.

Die Liste der gescheiterten Versuche ist lang.

Meistens, aber nicht immer, liegt es an mir selber, wenn es schiefgeht. So bin ich mal für einen unbezahlten Auftritt nach Manchester gereist. In der Hoffnung auf künftig bezahlte Buchungen fuhr ich auf eigene Kosten per Zug von London in die Oasis-Stadt. Das ist gang und gäbe. Der Veranstalter will jeden Komiker zunächst unbezahlte 10 Minuten lang sehen. Läuft dieser Open Spot gut, gibt es bezahlte Buchungen. Das Prinzip kannte ich ja aus dem Comedy Store. Nun opferte ich einen Samstag, zahlte Zug und Hotel (eine 20-Pfund-Absteige, mit noch weniger Wasserdruck als in London) und trat dort auf. Wie sich nachher herausstellen sollte nicht nur unbezahlt, sondern auch umsonst.

Obwohl der Auftritt sehr gut lief, war das Telefonat mit dem Veranstalter am folgenden Montag ein Schlag ins Gesicht. Auf die Frage, wie das Feedback im Show-Report ausfalle, sagte dieser mir, das Feedback sei sehr gut. Wörtlich hatte der Manager des Abends geschrieben: »This guy is very funny, but predictably German.« Ich bekam keine Buchungen, war stinksauer und erzähle seitdem die Geschichte auf der Bühne. Mit der Pointe: »So I did a very un-German thing…and let him live.«

Doch Niederlage ist nicht gleich Niederlage. Die Schuldfrage spielt immer eine Rolle. Manchmal ist eine Schlacht nicht zu gewinnen, weil die äußeren Umstände fatal sind. Und in anderen Fällen bin ich zu hundert Prozent selber für das Missraten eines Abends verantwortlich, denn manchmal schaufelt man sich sein eigenes Grab. Solche falschen Entscheidungen trifft man im Bruchteil einer Sekunde, man sollte ja im besten Fall locker und spontan sein, und nicht alles filtern, was man sagt. Wenn man jedoch gar nicht filtert, kommen eben auch Dinge durch, die sonst im Sieb hängenbleiben würden, der Kaffeesatz der Komik.

Einmal hatte ich einen Auftritt in Großbritanniens ältester Brauerei, einem alten Gebäude im Süden Londons. Es war ein Lock-In, ich wurde also gemeinsam mit dem Publikum eingesperrt, da die alte Brauerei keine offizielle Ausschanklizenz mehr hatte. Eine tolle Sonntagabend-Veranstaltung bei leckerem Ale-Bier, mehr »Hair of the Dog« geht nicht, auch vom Geruch her.

Der Auftritt verlief ganz wunderbar, bis ich sagte dass es toll sei in der ältesten englischen Brauerei aufzutreten, aber es bleibe eben eine ENGLISCHE Brauerei. Der Gag kam nicht so gut an, und die Stimmung kippte.

Ähnliches passierte mir bei einem Auftritt im Clubheim des Old Trafford, dem Stadion von Manchester United. Meine Fußballwitze hätte ich mir besser verkneifen sollen, der Auftritt wurde zum Auswärtsspiel in Unterzahl. Immerhin retteten mir einige Kinder den Abend, als sie mich nach einem Autogramm fragten. Sie dachten, ich wäre Edwin van der Sar, der ehemalige Torwart des Vereins. Die Ähnlichkeit muss an dem Tag noch größer gewesen sein als sonst. Vielleicht lag es an den Handschuhen, die ich trug. Sie waren davon überzeugt, dass Edwin vor ihnen stand. Das dachte übrigens auch der Hotelier, der mir prompt ein Upgrade gab und eine Old-Trafford-Tasse schenkte. Ich nahm dankend an und spielte das Spiel mit. Mein holländischer Akzent klang auf Englisch zwar eher wie Rudi Carrells britischer Cousin, aber es funktionierte. Trotz eines schwachen Auftritts fühlte ich mich wie ein Star, es war ein lekker Abend.

Manchmal läuft ein Auftritt ganz wunderbar, und der negative Ausgang kommt mit Verspätung. So geschehen bei einem Gig in Luton, einem Ort nördlich von London, bekannt durch den gleichnamigen Flughafen. Dort gibt es eine Comedy-Show in einem alten Pub, der dadurch berühmt wurde, dass ein besoffener Stammgast vor einigen Jahren nach einem Streit mit dem Barkeeper nicht nur die Zeche prellte und herumschrie. Nein, der Gast, der noch durstig und daher sauer über den Schankschluss war, verließ sternhagelvoll den Pub, startete draußen den Motor seines Minis und fuhr mit Vollgas auf die Kneipe zu. Er überfuhr die Blumenbeete und Hecken, mähte die Bierbänke auf der Terrasse nieder und durchbrach die Wand ins Wirtshaus. Die übrig gebliebenen Gäste samt Wirt retteten sich durch einen Sprung zur Seite, sodass niemand zu Schaden kam, bis auf den gesamten Pub inklusive Bar und Zapfanlage. Die Legende besagt, dass der Amok-Fahrer beim Aussteigen aus seinem Mini an die Glocke schlug und die letzte Runde einläutete.

Jahre später hatten die Schluckspechte des Ortes genügend Geld gesammelt, um den Pub wiederherzustellen. So kehrten die Stammgäste wieder, der Parkplatz wurde so angelegt, dass eine direkte Zufahrt vor den Tresen nicht mehr möglich war, und der Pub wurde zu einer erneuten Erfolgsstory. Schließlich kehrte auch die Comedy-Show zurück.

Als ich in dem legendären Pub auftrat, wurde mir zunächst meine Unterkunft über der Kneipe gezeigt. Da sich dort zwei Katzen herumtrieben, musste ich allergiebedingt passen und sagte: Kein Problem, ich schlafe einfach nach der Sperrstunde unten im Schankraum. Der Pub-Landlord war einverstanden. Ihm war alles recht, solange niemand einen Mini fuhr.

Er zeigte uns voller Stolz sein Terrarium mit gigantischen Schlangen, meterlang. Wobei er natürlich nicht in metrischen Größen dachte, sondern in Fuß. Und eine Schlange in Fuß zu messen, ist ja aufgrund ihres Fußmangels sowieso lustiger.

Statt bei den Katzen sollte ich nun also bei den Pythons nächtigen. Ob man durch einen allergischen Schock oder durch Würgebewegungen umkommt, ist dann ja nicht so wichtig.

Und da Monty Python sowieso einer meiner ersten Comedy-Einflüsse gewesen waren, würde sich mit dem Tod durch eine Python ja auch irgendwie ein Kreis schließen. Ich gab dem Pub-Landlord also einen neuen Vornamen.

Monty präsentierte nun mit breiter Brust seine Riesenschlangen, und ich saß davor wie das sprichwörtliche Kaninchen – im Prinzip wie ein Komiker vor einem schwierigen Publikum. Oder wie ein Kneipier vor einem qualmenden Auto, das zwischen seinem Tresen und der Fruit-Machine geparkt worden war.

Die Show verlief dann katzen-, schlangen- und problemfrei. Es gab viel Freibier und tolle Anekdoten über den Pub. Irgendwann gingen dann auch die letzten Gäste, und ich schlief auf einer gepolsterten Sitzbank neben dem Tresen ein.

Das Einschlafen war friedlich, das Aufwachen weniger. Mich streichelte etwas im Gesicht. Ich nahm es erst gar nicht wahr und fuhr mir im Halbschlaf durch die Haare. Doch das Streicheln über meinen Kopf hielt an. Vielleicht träumte ich es ja nur. Um auf Nummer sicher zu gehen, öffnete ich die

Augen – und schrie! Eine tote Ratte baumelte in meinem Gesicht.

Erst Katzen, dann Schlangen, jetzt eine Ratte. In was für einem Horror-Tierpark war ich denn hier gelandet? Kein Wunder, dass hier Leute durchdrehen und Autos durch die Fassade steuern.

Ich schlug die Ratte weg und bemerkte, dass am anderen Ende des Tieres der lachende Kneipenwirt hing. Monty hielt das Riesenviech am Schwanz, ließ es vor meinem Gesicht baumeln und sagte: »Ready for breakfast, funny man?«

Er ging rüber zur Schlange, warf ihr die Ratte zum Fraß vor und grinste. Ich indes beschloss, mir noch am selben Tag einen Mini zu kaufen.

WO SEHEN SIE SICH IN FÜNF JAHREN?

– Im Comedy Store geht es voran –

Immer noch dienten all die schwierigen, schrägen und guten Auftritte, die ich in den Jahren seit meiner Ankunft in England hatte, vor allem einem Zweck: endlich beim Comedy Store gebucht zu werden – und zwar als bezahlter Act.

Unbezahlt war ich in den ersten Jahren nun schon regelmäßig dort aufgetreten, denn der erste Zehnminüter am Samstag nach meinem King-Gong-Triumph war sofort sehr gut gelaufen. Doch ich wusste schon an jenem Abend, dass es ein weiter Weg werden würde, denn das Niveau war unglaublich hoch. Kannte ich den Comedy Store bisher nur von der anarchischen Gong-Show am letzten Montag, die ja eine Talentshow war, traf ich nun zum ersten Mal auf die wirklichen Komiker des Clubs. Am Montag hatte ich Raupen gesehen, heute Schmetterlinge. Das war eine ganz andere Liga.

Trotzdem schlug ich mich gut und bekam positives Feedback von Don, der mir einen weiteren 10-Minüter in Aussicht stellte: »Ruf einfach Montag im Büro an!«

Nun waren zwischen meinem ersten und meinem Folgeauftritt ja nur fünf Tage vergangen, ich hatte mich also an einen schnellen Rhythmus gewöhnt. So rief ich am Montag im Büro an und hoffte auf einen baldigen Anschlusstermin, vielleicht könnte ich ja schon nächstes Wochenende wieder...?

»Next year!«, holte mich die Realität ein. »Everybody only once a year.«

Einmal im Jahr darf also jeder ran, bis er es in den Club schafft oder eben rausfliegt. Und da die meisten Komiker zwischen vier und zehn Jahre brauchen, um im Comedy Store aufgenommen zu werden, fiel mir gleich diese elende Frage aus Vorstellungsgesprächen ein: »Wo sehen Sie sich in fünf bis zehn Jahren?«.

Na, genau hier. Aber eben für Geld.

Ich war also geduldig und entschied mich, jedes Jahr regelmäßig auf der Matte zu stehen – so lange, wie es eben dauern würde. It's a long way to the top if you wanna rock and roll. Und ich wollte.

Die Zeit arbeitet als Künstler ja generell für einen, denn Zeit bedeutet Erfahrung, und Erfahrung ist alles.

Langsam, aber sicher wurde ich besser, die schlechten Auftritte wurden weniger, und ich gewöhnte mich mehr und mehr an den Druck. Ein Jahr, zwei Jahre, drei Jahre, vier, fünf. Es sollte jetzt nicht mehr lange dauern, bis ich für ein volles Wochenende gebucht würde, da war ich mir sicher...

ONE FOR
THE ROAD

– Alkohol am Steuer –

Autos spielen bei meinem Beruf eine wichtige Rolle, auch wenn sie mal nicht in den Gastraum einer Kneipe krachen. Wer als Komiker auf Tour ist, bekommt nämlich in der Regel einen eigenen Fahrer. Das klingt natürlich sehr glamourös, stellt man sich doch sofort eine schwarze Limousine mit einem eleganten Chauffeur vor.

Wie so oft sieht die Wirklichkeit jedoch anders aus. Statt in der Stretch-Limo sitze ich zwischen den Auftritten gerne im Klein- oder Kleinstwagen, je nach Region und Budget. Generell gilt: je größer die Region, desto kleiner das Auto. Innerhalb Londons werde ich die drei Meilen in einer großen Mercedes-Limousine zur BBC gefahren, während in den Weiten Schottlands die kurvigen Distanzen von 80 Meilen pro Trip im kleinen, zerfallenen Skoda zurückgelegt werden – oder eben im Mini. Doch oft ist es nicht das Fahrzeug, das beunruhigt. Sorge macht vielmehr der Fahrzeugführer.

Das Prinzip ist dabei immer dasselbe, der Fahrer auf diesen Tourneen wird nämlich meist auf dem kurzen Dienstweg eingestellt. In der Regel ist es der Bruder, Schwager oder Cousin des Veranstalters, die Fahrkenntnisse sind Nebensache. Ich habe mir bisher nie einen Führerschein zeigen lassen, denn es gilt: Stell nie eine Frage, auf die du die Antwort nicht ertragen kannst (»Teile meiner Antwort würden Sie verunsichern«). Aber ich habe jedes Mal gehofft, dass wir in eine Verkehrskontrolle geraten. Denn ich war mir sicher: So, jetzt fliegt er auf!

Auch wenn jede Fahrt speziell ist, hat kein Fahrer einen so bleibenden Eindruck hinterlassen wie Dickie. Dickie wurde mir vorgestellt als jüngerer Bruder eines sehr erfolgreichen und mittlerweile wohlhabenden Veranstalters. Alles, was sein älterer Bruder an Ambition, Geschäftssinn und Antrieb in seinen Genen hat, ist bei Dickie pendelartig in die andere Richtung ausgeschlagen. Ich bemerkte sofort, er ist grundentspannt, wohlgenährt und so beweglich wie ein Grenzstein. Man möchte meinen, Dickie wäre eigentlich der perfekte Fahrer, lässt er sich schließlich nie aus der Ruhe bringen. Das Problem war nur, Dickie genießt das Leben in vollen Zügen. Und zwar gerne aus der Dose.

Das ist natürlich prinzipiell grundsympathisch und beneidenswert – wenn es sich in einer Gartenlaube oder an der Trinkhalle abspielt. Nur wenn man ebenjenes Geschehen vom Beifahrersitz nach rechts blickend beobachtet, dann wird einem schon mal anders. Wie viele halbe Liter Bier hatte er denn schon getrunken? War es vielleicht sein dosenähnliches Auto, das ihn dazu brachte, zur Bierbüchse zu greifen? Und wer verbrauchte eigentlich mehr Sprit, der Skoda oder Dickie?

Ich wurde nervös und dachte an Physik. Kinetische Energie, Aufprallgeschwindigeit, etc., im Prinzip konnte man das Szenario herunterbrechen auf folgende Formel:

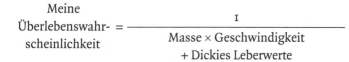

$$\text{Meine Überlebenswahr-scheinlichkeit} = \frac{1}{\text{Masse} \times \text{Geschwindigkeit} + \text{Dickies Leberwerte}}$$

Die errechneten Werte sahen nicht gut aus, was wiederum mich nicht gut aussehen ließ. Dickie schien meine Unruhe zu bemerken, Dosenbier macht wohl empathisch. Er versicherte mir daher sofort, uns könne nichts zustoßen. Dafür würde die gesegnete Kette mit dem Bildnis des heiligen Christophorus, die am Innenspiegel baumelte, schon sorgen. Dickie hielt dabei mit der rechten Hand den Christophorus, mit der linken die Bierdose und lenkte den Kleinwagen mit den Knien. Bei Tempo 130.

Dass Christophorus der Schutzpatron der Reisenden ist, wusste ich. Dass er auch der Schutzpatron für rollende Suizidkommandos unter Dosenbier-Einfluss sein sollte, war mir neu. Ein Bild von Bacchus wäre wohl passender gewesen. Ich hielt aber eine weitere Diskussion für aussichtslos und somit die Klappe.

Als wir dann einen Polizeiwagen überholten und Dickie dabei demonstrativ die Dose ansetzte, war mir endgültig klar: das Ganze hier war eine Immunisierung. Überlebte ich diese Fahrt, würde ich nie wieder Angst oder Unsicherheit als Beifahrer verspüren. Wer Dickie überlebt, schafft es überall.

Dieses Gefühl sollte übrigens nur vier Monate anhalten, nämlich bis zu meinem Auftritt im schwedischen Göteborg. Dort setzte der Veranstalter anstelle eines eigenen Tour-Autos auf Taxis. Endlich sicher!, dachte ich. Endlich keine betrunkenen Veranstalter-Brüder in rollenden Bananenkisten. Die Erfahrung sagte: Taxis sind sicher, Schweden sind sicher. Und jetzt schwedische Taxis – gibt's was Besseres?

Ich stieg ins übergroße Göteborger Gefährt ein, wo mich

der Fahrer in seinem Null-Risiko-Lebensraum begrüßte. Ich sagte ihm, wo es hingehen sollte, und er bat mich darum, mich anzuschnallen. Wahnsinn, was für ein Start. Diese Sicherheit! Ich hatte mich nicht mehr so unverwundbar und sorgenfrei gefühlt seit meiner eigenen Kindstaufe. Und da hatte immerhin ein Ertrinkungsrisiko bestanden. Hier im schwedischen Taxi konnte mir nichts passieren, das stand fest. Und wenn man sich so sehr in Sicherheit wiegt, was passiert dann? Genau, dann passiert das Leben, Weckruf der Realität!

Der Taxifahrer holte einen Apparat hervor, der aussah wie ein Kreditkarten-Lesegerät. Ich dachte: Vorabbezahlung im Taxi, seltsam. Aber auch irgendwie sicher. So eine Art Kaution gegen Weglaufen. Ich holte bereits mein Portemonnaie hervor, als der Taxifahrer mich anlächelte und das Kreditkarten-Lesegerät zum Mund führte. Was passierte hier? Das Gerät zeigte 0,0 an, und ich dachte: seltsam niedriger Preis für ein so teures Land. Und warum zum Teufel hatte er ins Gerät gepustet? Der Fahrer klärte auf: »Wir haben hier in Schweden ein Alkoholproblem im Straßenverkehr. Um den Motor zu starten, muss der Taxifahrer daher in den Alko-Tester pusten. Nur bei 0,0 Promille lässt sich der Zündschlüssel herumdrehen.«

Ich war hin- und hergerissen. Genial oder beängstigend? Der Fahrer legte nach: »Das ist alles halb so wild. Zum einen habe ich, wie alle Fahrer, das Gerät manipuliert, und zum anderen hilft ein Zwiebelbrot direkt vor dem Pusten. Dann zeigt es immer 0,0 an! Todsicher.«

Tod? Sicher! Ich reagierte gegen die Panik, schloss meine Augen, murmelte wiederholt mantraartig das Wort *Christophorus* und wünschte mich zurück ins Auto von Dickie. Nie wieder Taxi!

WHY DOES IT ALWAYS RAIN ON ME?

– Das englische Wetter –

In Großbritannien ist es neblig und regnerisch. Immer. Das weiß jeder, der Sherlock Holmes kennt, Edgar Wallace oder die jährliche Wimbledon-Übertragung. Trocken scheint es auf der Insel nie zu sein – doch weit gefehlt.

Jedes Jahr wird in London im Sommer eine Hitzewelle ausgerufen. Noch mal: eine Hitze(!)-Welle(!) in London(!).

Immer dann, wenn Wolkendecke und Nieselregen für mehr als vier Tage am Stück ausbleiben, läuten bei der Stadtverwaltung die Alarmglocken: Die bedrohliche »Heat Wave« rollt wieder an.

Das Gefährliche daran ist, dass man sie nicht auf den ersten Blick erkennt, vor allem nicht an so etwas Trivialem wie den Temperaturen. Die steigen nämlich nicht sonderlich. Bemerken kann die drohende Dürre nur, wer auf die subtilen Anzeichen achtet.

Wenn zum Beispiel die italienischen Touristen statt Wintermantel und Schal nur noch leichte Pullover tragen, dann ist Gefahr im Verzug. Wenn Busfahrer eine ganze Schicht lang den Scheibenwischer nicht einschalten, dann wird's ernst. Wenn die Themse blau statt grau wirkt, dann hört der Spaß auf.

Sofort werden in solchen Momenten in den Londoner U-Bahnhöfen Poster aufgehängt: BEAT THE HEAT! Auf den Plakaten wird empfohlen, immer eine Flasche Wasser bei sich zu führen. Alles andere kann bei 23 Grad Celsius ja auch nur fatale Folgen haben.

Hinter dieser jährlich wiederkehrenden Kampagne muss die Trinkwasser-Lobby stecken, anders ist die unangebrachte Panikmache nicht zu erklären.

Aber da haben sie die Rechnung ohne uns Londoner gemacht. Zwar folgen viele Hauptstädter dem Aufruf, in den Sommermonaten hydriert zu bleiben. Aber Wasser wird dann eher in Verbindung mit Hopfen und Malz getrunken. Cheers, auf die Heat Wave!

Doch der vorherrschende Eindruck vom britischen Wetter ist ja eher ein nasser. So stellte auch ich mich bei meiner Ankunft in England gleich auf ständigen Niederschlag ein – und sollte überrascht werden. Denn die Wirklichkeit reicht, wie so oft, nicht ans Klischee heran. Zwar ist es in London die meiste Zeit bewölkt, aber in der Regel bleibt es trocken. Nieselregen kommt dabei recht regelmäßig vor, echte Wolkenbrüche haben jedoch Seltenheitswert. Und bei Nieselregen wird man nicht nass.

So habe ich mir bis heute keinen Regenschirm zugelegt. Erstens, weil es kaum nötig ist, und zweitens aus Prinzip! Nur um meine Besucher aus Deutschland auf dem falschen Fuß zu erwischen: »Du wohnst in London und hast keinen Regenschirm?«

Ich antworte dann: »Du wohnst in München und hast keine Ski angeschnallt? So!«

Meistens beginnt es genau in dem Moment zu regnen.

Doch es klappt auch ohne Schirm. Denn in London werden an jedem U-Bahn-Ausgang Gratiszeitungen verteilt. Diese stellen zwar eine miserable Lektüre dar, aber sie dienen – über den Kopf gehalten – als perfekter Regenschutz. Damit sticht man dann auch seinen Mitmenschen nicht die Augen aus, wie das mit dem Regenschirm gern der Fall ist. Der Einsatz dieser Waffen ist hauptsächlich den Touristen vorbehalten, die in Erwartung des berühmten englischen Regens für ihr London-Wochenende meist den größten Schirm mitgebracht haben, der in ihrem Heimatdorf zu finden war. Teilweise wirkt es, als ob da in tagelanger Näharbeit Größenrekorde fürs Guinness-Buch aufgestellt wurden.

So gleicht der Gang durchs enge Londoner Zentrum bei Nieselregen einem Spießrutenlauf in einem italienischen oder spanischen Dorf. (Die deutschen Touristen setzen weniger auf Schirme als vielmehr auf Jack-Wolfskin-Jacken im Partnerlook.) Während die Engländer sich mit Zeitungen über dem Haupt still fluchend – bloß nichts anmerken lassen – den Weg durch »die Europäer« bahnen. Aber ein Regenschirm wird nicht gekauft.

Das sehe ich genauso und realisiere mal wieder, wie sehr ich über die Jahre zu einem echten Londoner geworden bin.

Ich merke das an vielen Dingen, nicht nur bei Regen. So macht einen diese große und teilweise sehr stressige Stadt auch immer zynischer. Kürzlich stand ich an einer Bushaltestelle, circa drei Schritte von einer jungen Dame entfernt. Eigentlich eine ausreichende Entfernung, wie ich dachte, selbst nach dem ungeschriebenen Buch der britischen Benimmregeln. Doch die Frau sah das anders und ermahnte mich: »Excuse me. Can I have some space?!«

Vom Leben in der Stadt abgehärtet, erwiderte ich, ganz Londoner: »Of course. I suggest moving to Scotland.«

Hätte ich einen Regenschirm, wäre ich sicher umgänglicher.

Der Niederschlag ist, wie gesagt, halb so wild. Es geht eher um einen Mangel an Sonnenlicht. Beim Anflug auf London (oder jeden anderen britischen Flughafen) taucht der Flieger in neun von zehn Fällen durch eine dichte Wolkendecke hinab. Es fühlt sich an wie das Eindringen in eine andere Welt: eine Schneekugel, ein Filmstudio oder eben ins britische Wunderland der Alice.

Das ist zwar mystisch und irgendwie märchenhaft, aber das Leben unter der Glocke ist dann auch irgendwann von Vitamin-D-Unterversorgung geprägt.

So ist es wenig überraschend, dass die Briten solche Sonnenanbeter sind. Es ist eine Liebe, die dem Mangel geschuldet ist. Weihnachten ist ja vor allem deswegen so toll, weil es nur einmal im Jahr stattfindet, Fußballweltmeisterschaften sogar nur alle vier – und eine Schalker Meisterschaft nur alle …

Und so steigert sich die Freude über das Seltene ins Unermessliche.

Darauf basiert die Obsession vieler Engländer für die Sonne. Sie lesen The Sun während sie in kurzer Hose nach Spanien fliegen. Dann wechselt man von Weiß auf Rot innerhalb weniger Stunden – keine Sonnenminute wird ausgelassen. Es geht vielen dabei weniger um den Teint als vielmehr um das Genießen des seltenen Phänomens »unlimited sunshine«. Dafür wird sogar der quälende Sonnenbrand-Schmerz in Kauf genommen, ist er doch eine Art Trophäe für das Erreichte.

Viele Briten haben den Traum, sich später einmal in Südfrankreich oder Spanien niederzulassen – ein Ruhestand in warmen Gefilden mit einem viel preiswerteren Immobilienangebot. Die Auswanderer-Quoten dorthin sind enorm, völlig unabhängig vom Brexit.

Bis zum Erreichen des Ruhestandes genießt der Träumende jeden Sonnenstrahl in der Heimat. Verschwindet in England mal für einige Tage am Stück die Wolkendecke, zieht es die Menschen sofort ins Freie, viel mehr noch als in anderen Ländern. Jede Sekunde wird dann in der Sonne verbracht, um das Jahres-UV-Konto aufzufüllen.

Wird die Heat Wave ausgerufen, platzen die Biergärten der Pubs aus allen Nähten. Da der Alkohol in der Sonne noch besser wirkt, steigt die Stimmung schnell. Irgendeiner schlägt dann vor, abends noch eine Comedy-Show zu besuchen, bis dahin wird in der Hitze weiter getankt. Die daraus resultierenden Folgen werden in der Bierwerbung selten gezeigt.

Das Ergebnis dieser Sonne-Bier-Misere bekomme ich dann abends zu spüren. Kein Publikum ist so schwierig zu bespielen wie die Zuschauer an einem sonnigen Samstag. Wer mittags anfängt, in der Hitze zu trinken, ist acht Stunden später nicht mehr der Mensch, in den sich der Ehepartner damals verliebt hat. Und auch als Publikumsmitglied ist er nicht mehr der Mensch, für den man als Komiker im stillen Kämmerlein seine Gags geschrieben hat.

Hätte ich die Wahl zwischen mehr Sonnenstunden oder mehr Regen für London, ich würde mir ohne zu zögern sofort meinen ersten Regenschirm kaufen. Let it rain!

GANZ UNTEN

– Auf britischen Toiletten –

Wer unter chronischer Verstopfung leidet, sollte Komiker werden. Abgesehen vom Vorkoster in der Abführklinik, wird in keinem Beruf so sehr die Verdauung angeregt wie beim Comedian. Grund dafür ist die Aufregung vor dem Auftritt. Es ist mir nach wie vor unerklärlich, dass das völlig unzutreffende Wort Lampenfieber nicht umbenannt wird in »Lampen-Abgang«. Die Nervosität äußert sich nämlich nicht im Geringsten durch Fieber-Symptome wie Frieren oder erhöhte Temperatur – vielmehr spielt die Verdauung verrückt. Zunächst einmal überkommt den Künstler circa 45 Minuten vor Showbeginn aber eine große Müdigkeit. Die Begründung dafür liegt ganz tief in unserem Erbgut, es geht ums Überleben. Der Körper weiß, gleich kommt es zu einer vermeintlich lebensbedrohlichen Situation, in der Hunderte Fremde dich anstarren und potenziell zerfleischen könnten. Daher fährt der Organismus runter, der Körper will die gesamte Energie für diese mögliche Nahtoderfahrung mit anschließendem Kampf oder Wegrennen konservieren. Ich möchte nur ein paar Witze erzählen, aber meine Gene machen eine große Nummer draus. Und so etwas hält sich für die Krone der Schöpfung.

Kurz darauf setzt die Verdauung ein. Der Körper will Ballast loswerden, damit er in der bedrohlichen Situation schneller wegrennen kann. Der Komiker als Fluchttier.

In deutschen Comedy-Clubs gibt es glücklicherweise immer eine oder gar mehrere Toiletten im Backstage-Bereich, sodass der nervöse Vor-Show-Darm nicht zum Problem wird. In vielen englischen Clubs gibt es aber nicht mal den Backstage-Bereich. Da Comedy-Shows oft in Pubs, Nachtclubs, Casinos oder Vereinsheimen stattfinden, fehlt in den meisten Fällen die Künstler-Garderobe. Falls sich dort jemand umziehen will, nutzt er dafür die Behindertentoilette. Vor und während der Show sitzen die Komiker, die gerade nicht auftreten, im hinteren Teil des Zuschauerraumes. Wir teilen uns bei diesen Auftritten die Toiletten mit dem Publikum, also oft mit mehreren Hundert Menschen. So ist dann kurz vor dem Auftritt, in dem Moment, in dem die nervöse Schleusenöffnung einsetzt, meist keine Kabine frei. In so einer Situation bekommt der Körper recht, es kommt tatsächlich zur gefühlten Nahtoderfahrung. Keine Toilette frei, was tun? Schon mehrfach bin ich verzweifelt kurz vor meinem Auftritt auf die Frauen-Toilette gerannt, da das Männer-WC nur eine Kabine hatte, und diese besetzt war. Wahrscheinlich von einem Kollegen. Die Damen sind in solchen Momenten oft sauer und lassen mich ihren Unmut spüren, schließlich bin ich in dem Moment nur ein dahergelaufener Kerl auf dem Frauenklo. Meine Rolle ändert sich kurz danach, wenn ich auf der Bühne anmoderiert werde und die weiblichen Zuschauer mich wiedererkennen. Das sind dann ganz besondere Zwischenrufe: »Der geht heimlich auf die Damentoilette!« Ich als Angeklagter mache in dem Fall von meinem Recht zu schweigen Gebrauch ... Euer Ehren.

Oft sind die Toiletten in englischen Pubs und Clubs in einem sehr speziellen Zustand. Zum tagesaktuellen Schmutz kommt oft noch eine schlechte Bausubstanz. So fehlen zum Beispiel gerne mal die Türverriegelungen, sodass der Toilettengänger mit einem Fuß von innen die Tür verriegeln muss. Die Verrenkungen können dabei ziemlich herausfordernd sein und im Extremfall sogar zu Krämpfen führen. So erkläre ich mir zumindest das Stöhnen das aus so mancher Night-Club-Toilette kommt.

Nach all den Jahren habe ich mich so langsam an die Türversperr-Bewegungen gewöhnt, sodass ich mit der Zeit ein ganzes Stück gelenkiger geworden bin. Der derbe Esoteriker spricht dabei übrigens vom »Britannischen Scheißhaus-Yoga«.

Wobei, ich kann mir ein besseres Umfeld für sportliche Betätigungen vorstellen als eine englische Club-Toilette.

Denn neben den fehlenden WC-Komponenten wie Verriegelung, Klobürste, Papier oder Brille kommt dort der hygienische Ausnahmezustand hinzu. Einige Toiletten sind derart dreckig, dass man sich fragt, ob sie überhaupt schon mal gereinigt wurden. An einem besonders schlimmen Veranstaltungsort fing mal mein Komiker-Kollege Ro Campbell die Moderation mit einer Schweigeminute an: »In Gedenken an die Putzfrau, die hier vor zehn Jahren gestorben ist. Als Geste des Andenkens und Respekts ihr gegenüber wurden die Toiletten seitdem nicht mehr angefasst.«

Aber eine dreckige Toilette ist nun mal besser als keine Toilette. In vielen Garderoben gibt es sie, wie bereits angesprochen, gar nicht. Als Komiker kann ich dann natürlich auf die Publikumstoiletten ausweichen. Nur gibt es auch Fälle, in denen das nicht möglich ist, wenn zum Beispiel der Backstagebereich nur über die Bühne zugänglich ist. So gehen alle Komiker vor Showbeginn über die Bühne in den Raum und müssen von nun an dort bleiben, bis sie mit ihrem Auftritt dran sind. Eine Art Comedy-Kerker, ein Künstler-Guantanamo, Flucht unmöglich. Wer nun also auf die Toilette muss, hat ein Problem. Ich habe schon Comedians in Gläser und Eimer pinkeln sehen. Als mein Kollege Dave mal nach einem Auftritt sein voll-uriniertes Glas umtrat und der neue Teppich den gesamten Inhalt aufsaugte, war die Buchung an dem Abend auch seine letzte in diesem Club.

Wenn Haustiere den Teppich einnässen, vergibt das Herrchen oder Frauchen ihnen. Einen nicht stubenreinen Komiker hingegen wirft man raus. Das Leben ist nicht fair.

Da die WC-Räume oft nicht nur als Toiletten, sondern zudem als Garderoben- und Hotelzimmer-Ersatz dienen, ist deren Nutzen vielseitig. So lässt mich der englische Regen auf dem Weg zum Auftritt oft durchnässt am Veranstaltungsort ankommen – ein Regenschirmkauf ist schließlich kategorisch ausgeschlossen. Dann wird der Handtrockner in der Club-Toilette zum Fön und Wäschetrockner umfunktioniert. Der gute alte Handtrockner, den es mittlerweile auf den meisten Toiletten gibt, damit der Betreiber keine Papiertücher mehr nachlegen muss. Auf ihn hatte ich mich einmal verlassen, nachdem ich kurz vor einem Auftritt in einem Küstenort am Strand entlang gegangen war. Ich spazierte direkt am Wasser, als mich eine Welle erwischte, meine Schuhe und die unteren Hosenbeine waren sofort klatschnass. Und das bei einer Außentemperatur von unter acht Grad und weniger als eine Stunde vor der Show, na wunderbar. Ich ging also ohne Umweg zum etwas baufälligen Comedy-Club zurück und marschierte in Richtung Handtrockner. Doch ich hatte die Rechnung ohne den Modernisierungsdrang des Betreibers gemacht. Es gab weder den klassischen elektrischen Handtrockner noch die veralteten Papierhandtücher. Da hing er, der Dyson Airblade. Diese Mischung aus Toaster, Fön und My-First-Sony ist der typische technische Kompromiss der Energiesparer. Er spart vor allem deswegen Energie, weil er nichts kann. Man muss die Hände nebeneinander von oben kommend flach eintauchen und angeblich nur einmal hoch und einmal runter bewegen. Das soll zum Trocknen genügen. Unsinn! Danach sind sie genauso nass wie vorher, aber man hat das Gerät von innen an allen Seiten berührt. Und wer weiß, was der eine oder andere Besoffene da neben seinen Händen sonst noch drin trocknet. Hätte der Airblade seinem Namen entsprechend wirklich eine Klinge, wäre man wenigstens sicher.

Doch was regte ich mich über die falsche Nutzung auf. Schließlich musste ich das Gerät nun ebenfalls auf nicht vorgesehene Art und Weise missbrauchen. Meine Schuhe, Socken, Füße und Hosenbeine wollten getrocknet werden.

In den folgenden 20 Minuten habe ich – untenrum nur noch dürftig bekleidet – viel über den Dyson Airblade gelernt. Erstens: Er ist kein Trockner, sondern ein Lärmmacher (Dyson Noiseblade!). Zweitens: Meine Schuhe (Größe 48) passen nicht in den Schlitz. Und drittens: Das Ding ist zu intelligent, es hat nämlich einen Zeitschutz. Wenn man die Socken zum Trocknen in den Airblade-Schlitz hängt, so pustet dieser nur für 30 Sekunden und schaltet sich dann automatisch ab. Warum auch immer. Ein Überhitzungsschutz kann es jedenfalls nicht sein, da das Gerät ja grundsätzlich nicht wärmer wird als Sylt im Februar.

Ich arbeitete mittlerweile an beiden Dysons gleichzeitig und orchestrierte eine Lärmsymphonie ersten Ranges. Meine Socken wurden trotzdem nicht trocken. In der Zwischenzeit hatten mich aber fast alle männlichen Zuschauer des Clubs schon mal vorab kennengelernt, in Unterhose und abwechselnd vor einem von zwei Plastik-Gebläsen fluchend.

»Nice one, mate!«, unterstützten mich meine neuen Freunde, in deren Ohren meine deutsche Verwünschung »Scheiß Dyson« wie ein Arnie-Satz aus Terminator 2 geklungen haben muss: »Wir müssen Skynet besiegen!« Ich gebe dem Terminator recht, der Dyson Airblade sollte uns Warnung genug sein. Wenn wir das Feld den Maschinen überlassen, folgt auf den Dyson erst Skynet, dann der Zusammenbruch aller Systeme und schließlich die Herrschaft der Roboter und Maschinen.

Dann fragen uns unsere Enkel, wie alles begann. Und wir müssen antworten: mit einem verdammten Handtrockner, der keine Hände trocknen konnte.

So wie ich da in Unterhose und Winterjacke stand, war ich mittlerweile die Attraktion des Clubs geworden, und es kamen nun sogar Besucher auf die Toilette, die gar nicht mussten. Ein halbnackter fluchender Deutscher, der versuchte, seine Kleidung in dafür ungeeigneten Plastik-Wand-Geräten zu trocknen, dieses Spektakel wollte sich niemand entgehen lassen. Mir war mittlerweile alles egal, ich spielte sogar mit dem Gedanken, mir bald Dyson-Aktien zu kaufen. Denn wenn ein Unternehmen mit so einem nicht funktionieren Produkt Erfolg haben kann, was wird dann erst, wenn es mal etwas erfindet, das wirklich funktioniert. Der Profit wird unvorstellbar werden. Und dann gründen sie Skynet!

Ich war wohl kurz davor, dem Wahnsinn zu verfallen, doch dann waren Hose und Socken zumindest halbwegs trocken, und ich konnte auftreten. Als ich die Bühne betrat, jubelte ein Großteil des Publikums und stimmte ihn an, den schlimmsten Sprechchor-Heckel aller Zeiten. Er bereitet mir noch heute Albträume: »Dyson! Dyson! Dyson!«

Toilettenhumor ist bekanntlich der billigste Humor. Aber er ist nicht totzubekommen, denn Pipi-Kaka-Witze sind der kleinste gemeine Nenner überhaupt. Ein Toilettengang findet schließlich immer hinter verschlossenen Türen statt, ist also ein privater Akt, ein gesellschaftliches Tabu. Und Tabus zu verletzen ist eine Überraschung, diese wiederum ist Grundlage eines jeden Witzes. Ein Pups in einer ernsten Geschäftskonferenz ist lustig – und peinlich. Weil er den größtmöglichen Kontrast zur ihn umgebenden Situation darstellt. Das funktioniert, losgelöst von Sprache, beteiligten Personen und Szenerie, weltweit, alters- und kulturunabhängig. So ist auch die peinlichste Geschichte meiner bisherigen Karriere eine Toilettengeschichte, was denn sonst. Ich muss sagen, selbst das Schreiben darüber ist mir unangenehm. Aber Humor ist ehrlich, vor allem Stand-up-Comedy. Daher will ich ehrlich sein – und mich somit blamieren.

Ich hatte einen Auftritt an einer Universität in einer mittelgroßen Stadt. Der Name des Ortes bleibt das einzige ungelüftete Geheimnis in dieser Geschichte.

Es war September und der Hörsaal mit einigen Hundert Studenten gut gefüllt, vor allem Erstsemester. Gebucht waren neben mir als Headliner ein Moderator und ein Support-Act, also ein Komiker, der die ersten 25 Minuten des Abends übernahm, um das Publikum aufzuwärmen. Ich sollte dann nach der Pause für gut 50 Minuten auf der Bühne stehen. Standard also, so weit so gut. Nun hatte ich mich in den letzten Tagen dieser Universitätstour, auf der wir von verschiedenen Hochschulen gebucht waren, schon nicht hundertprozentig fit gefühlt, dem leicht flauen Gefühl aber keine besondere Bedeutung beigemessen. So etwas kommt auf Reisen schon mal vor. Ich hatte gerade ein Stück Pizza gegessen, als der erste Komiker sein Set beendete und der Moderator die 15-minütige Pause ankündigte. Ich merkte, dass mein Bauchraum aufgebläht war – es musste wohl an den Zwiebeln auf der Pizza liegen. Nun wollte ich Dampf ablassen und ging dafür durch den Notausgang nach draußen, um die Künstlergarderobe nicht unnötig zu belasten. Vor der Tür angekommen, ließ ich den Dämpfen der Natur freien Lauf. Doch ich bemerkte sofort, dass es nicht dabei geblieben war. Ganz im Gegenteil, der Dampf war nur ein Nebenprodukt. Der Super-GAU war eingetreten, der größte anzunehmende Unterhosenzwischenfall. Sofort war ich jemand anderes. Wenn man sich als Erwachsener in die Hose macht, ist man innerhalb von Sekundenbruchteilen wieder Säugling. Nur nicht so entspannt, denn es regieren Scham und Ekel. Gefühle, die einem Säugling fremd sind. Mir leider nicht. Also, was tun? Ich musste ganz schnell drei Dinge erledigen: 1. Sauber machen, 2. Windel bauen 3. Nichts anmerken lassen.

Ich rief dem Moderator zu: »muss noch kurz wohin!« und rannte so unauffällig wie möglich zur Toilette, wofür ich durch den Zuschauerraum lief. Nun war gerade Pause, sodass ich nicht der Einzige war, der dorthin ging. Ich stellte mich an und tat so als ob ein ganz normales Geschäft anstünde. Was natürlich eine Lüge war, denn das hatte ich ja schon erledigt. Ich stand hier an, um mein unfreiwilliges portables Baumwoll-Klo zu leeren und zu reinigen. Wie lange meine Hugo-Boss-Windel wohl noch halten würde? Gut dass die meisten Gäste nicht an den Kabinen anstanden, sondern zu den Urinalen wollten. Nach circa fünf Minuten war ich endlich drin. Ich begann sofort mit dem Projekt »Tatortreinigung und Spurenbeseitigung« und ging dann über zu einem Projekt, das ich jedem nur empfehlen kann: »Wir bauen uns eine Erwachsenenwindel.« Gut, dass ich zu Halloween mal als Mumie gegangen war. Ich konnte also auf nützliche Toilettenpapier-Wickeltechnik-Erfahrung zurückgreifen. Eine ganze Rolle Papier befand sich schließlich in meiner Unterhose, gefaltet in der auch beim Deichbau weltweit etablierten Zick-Zack-Über-Unter-Methode. Es lebe die deutsche Ingenieurskunst! Nun war ich vorbereitet. Ich ging langsam laufend, gut gepolstert zurück in den Saal, wo ich genau in dem Moment anmoderiert wurde. Der Moderator hatte nicht damit gerechnet, dass ich eine knappe Viertelstunde brauchen würde, als ich mich mit »muss mal kurz wohin« verabschiedet hatte.

Ich ging auf die Bühne und bewegte mich keinen Millimeter von der Stelle. Zum einen musste ich durch Gesäßmuskeleinsatz die Struktur des Zick-Zack-Papier-Deichs in Form halten. Zum anderen war mir durch die blitzartig einsetzende Magen-Darm-Grippe furchtbar schwindelig. Kalter Schweiß stand mir auf der Stirn, ich hatte das Gefühl, dass ich langsam meinen Körper verließ und mich selbst beim Auftritt beobachtete. In dem Moment lernte ich Folgendes: Bei einer Out-Of-Body-Erfahrung kann man sich zwar selber sehen, aber glücklicherweise nicht riechen. Immerhin.

Ich erzählte gut 50 Minuten lang meine Gags im Autopilot-Modus, und die Windel hielt. Nach der Show wollte mein Komiker-Kollege mich für einen meiner Witze loben: »Das Beste war, als du das und das gesagt hast…«

Ich antwortete: »Nein. Das Beste war, als ich mir unmittelbar vor meinem Auftritt massiv in die Hose gesch**sen habe.« Er brach vor Lachen zusammen und sagte: »German Blitz-Durchfall.«

Wenn ich jemals einen Astronauten, einen Formel-1-Rennfahrer oder einen Iron-Man-Läufer treffen sollte, weiß ich auf jeden Fall, mit welchem uns beiden bekannten Thema ich den Small Talk beginnen werde…

DER ZUG IST ABGEFAHREN

– Pünktlichkeit ist nicht lustig –

Toilettengespräche, Musik und Fußball verbinden, sagt man. Vor allem auf Reisen. Und nirgends kommt man so gut mit Menschen ins Gespräch wie in der guten alten Eisenbahn. Das ist vor allem in Großbritannien die klassischste Art zu reisen, denn in keinem Land der Welt konnten die Bürger so früh Bahnkunde sein wie in England, wurde auf der Insel doch die erste öffentliche Eisenbahn betrieben. Damals, in den Zwanzigerjahren des 19. Jahrhunderts, war Bahnfahren neu und somit ein Abenteuer. Letzteres hat sich in England bis heute nicht geändert – vor allem für uns Deutsche. Der Engländer macht sich gerne darüber lustig, dass das Zugsystem auf der Insel seit der Privatisierung durch Margaret Thatcher eine Katastrophe ist: teuer, unpünktlich, alles andere als bequem und wenig kundenorientiert. Das ist in der Tat eine gute Zusammenfassung. Wer sich in Deutschland aufregt, dass sein Zug vier Minuten verspätet ist, oder dass man bei Tempo 200 im ICE unregelmäßigen WLAN-Empfang hat, dem schlage ich vor, ein paar Zugfahrten in Großbritannien zu unternehmen. Es empfiehlt sich vor allem die Jahreszeit, zu der es leicht schneit – dann bricht alles zusammen. Oder bei Regen. Auch der führt zu heftigen Störungen im Bahnbetrieb. Denn wer kann schon mit Regen rechnen in England? Bei solchen Wetterbedingungen kollabiert ein System, dem es selbst bei eitel Sonnenschein und Kaiserwetter nicht an Makel und Eigenarten mangelt. Ich muss nach wie vor laut lachen, wenn eine der großartigen, typisch englischen Zugdurchsagen ertönt. Diese beginnen in der Regel mit einer Entschuldigung: »We are very sorry to announce…« oder »Please accept our apologies…« oder »Southern Railway are sorry to announce…«. So etwas kannte ich aus Deutschland nicht unbedingt. Wir Deutschen kennen die Gültigkeit folgender Regeln: Die Bundesrepublik Deutschland verhandelt nicht mit Terroristen, und die Deutsche Bahn entschuldigt sich nicht. Ende der Durchsage!

In England ist das anders. Alle entschuldigen sich ständig, selbst wenn es gar nicht nötig wäre. Wobei es im Falle der Bahn natürlich in der Regel angebracht ist. Ich habe nach vielen Hundert Zugfahrten in England mittlerweile Lieblingsdurchsagen. So ertönt beispielsweise kurz vor der Einfahrt in jeden etwa fünften Bahnhof die Ansage: »Wir entschuldigen uns und weisen darauf hin, dass Sie beim nächsten Halt nur aus den vordersten fünf Waggons aussteigen können, da dieser Bahnhof einen kurzen Bahnsteig hat.« Ein sehr englischer Ansatz: Anstelle des Bahnsteigs verlängert man einfach die Durchsagen.

Die Engländer mögen halt alte Dinge, die zwar Geschichte und Seele haben, aber eben auch ein bisschen unzeitgemäß sind. Und so versperren sich die Briten, aus lauter Freude am Traditionellen und Antiken dann gerne modernen Entwicklungen. Man zieht lieber in ein 200 Jahre altes Haus und friert, als einen gut isolierten Neubau mit Fenster im Bad anzumieten. Hoch lebe Tradition und Geschichte, denn damit grenzt sich Großbritannien von den kulturlosen Amerikanern ab, dem ewigen gleichsprachigen Gegenstück auf der anderen Seite des Atlantiks. Dort gibt es nichts Altes, also braucht man diesseits des großen Teichs so viel Historisches wie irgend möglich: eine einfache Logik.

Und da alles seinen Preis hat, bringt Tradition eben den Verzicht auf Komfort mit sich. So ist das alte Bahnnetz zum Beispiel perfekt auf die Makel vorbereitet. Auf allen – immerhin digitalen – Zuganzeigen am Bahnsteig gibt es für jeden Zug neben dem Zielort und der planmäßigen Abfahrtszeit noch ein weiteres Feld mit der tatsächlichen Abfahrtszeit: »expected«. So wird der 14:10-Uhr-Zug um 14:17 Uhr erwartet. Ich habe mal den Bahn-Mitarbeiter auf dieses lustige Detail hingewiesen und gesagt, dass ich als Deutscher den 14:10-Uhr-Zug eigentlich nicht um 14:17 Uhr, sondern um 14:10 Uhr erwartet hatte. Er nahm es mit britischem Humor und sagte, er käme aus Irland, und dort würde der 14:10-Uhr-Zug gar nicht kommen.

Häufig ist es mir schon passiert, dass die Zahl hinter »expected« immer größer wurde, die Ankunft sich also weiter verzögerte. Bis der Zug schließlich ganz ausfiel: »cancelled«. Wie bitte? Dass ein Zug ausfällt, ist ja schon ein Erlebnis, aber dass die Durchsage einem neben der obligatorischen Entschuldigung noch den Grund nennt, macht den Spaß natürlich komplett: »Es tut uns sehr leid. Aber aufgrund von nicht erschienenem Personal fällt dieser Zug aus.« Auch das ist vollkommen ernst gemeint. Mein Hund hat meine Hausaufgaben gefressen. Großartig!

Das klingt nach einem Level an Professionalität, das sonst nur mein altbekannter Bier-Chauffeur Dickie erreicht.

Ein wiederkehrendes Erlebnis im englischen Eisenbahn-System sind die »planned engineering works«, die vollkommen im Gegensatz zu den ungeplanten Wartungsarbeiten die Strecke mit Anlauf und Ansage lahmlegen. Eine angekündigte

Sperrung ist für den Bahnkunden einfach wesentlich angenehmer als eine unangekündigte. Wenigstens kommt eine Entschuldigung, darauf ist Verlass.

Der Schienenersatzverkehr findet dabei immer in Form unbequemer Busse statt. Warum wird nie eine Limousine angeboten, ein Hubschrauber, ein Hoverboard oder ein Jetpack? Dafür sollte sich die Bahn mal entschuldigen.

Ich erinnere mich an eine Fahrt von London nach Devon, im wunderschönen Südwesten Englands. Die vierstündige Zugfahrt hatte mich, trotz rechtzeitiger Buchung, 60 Pfund gekostet (Christine hätte es sicher billiger hinbekommen!). Am Reisetag kam es dann zu »planned engineering works«, sodass mein Zugticket zu einem Busticket wurde. Wir wurden daraufhin auf der Autobahn vom Billig-Fernreise-Anbieter Megabus überholt. Dort kostet eine Fahrt von London nach Devon fünf Pfund. Ich hatte zwölfmal so viel bezahlt und kam trotzdem langsamer und noch unbequemer ans Ziel. Und dieses Mal entschuldigte sich keiner. Ich hatte schon einige Male den Megabus genommen. Was wie ein Monster aus einem japanischen Cartoon klingt, ist in der Tat monströs, nämlich monströs strapaziös. Es ist die mit Abstand preiswerteste Art, in Großbritannien zu reisen. Und wie der Engländer so schön sagt: »You get what you pay for.« Und das ist im Falles des Megabus so zutreffend wie selten. Man zahlt fünf Pfund für eine mehrstündige Reise, aber man verliert durch den dadurch ausgelösten Stress das circa 100-fache an Lebenszeit. Ein Viehtransport ist luxuriöser. Würde jemand in einem Megabus Kühe oder Schweine transportieren, PETA ginge auf die Barrikaden, und bis zum europäischen Gerichtshof. Aber Amnesty International unternimmt nichts! Ich prangere das massiv an. Das Mindeste wäre eine Entschuldigung in Form einer Durchsage.

Einmal stand ich an einem Winter-Abend nach meinem

Auftritt an der Megabus-Haltestelle vor der Philharmonie in Bristol und wartete mit den anderen verlorenen Seelen auf die Ankunft des Viehtransporters. Der Regen wurde stärker und stärker, doch der Megabus kam und kam nicht. Langsam wurde die Stimmung noch trauriger, als sie es generell schon ist im Rahmen einer Megabus-Reise. Viele der Wartenden wurden unruhig und zunehmend genervt. Ich beruhigte sie: »Lasst es uns positiv sehen. Es könnte schlimmer sein, als im kalten Nieselregen zu stehen. Wir könnten in einem Megabus sitzen.« Keiner lachte.

Ich reagierte britisch: »I'm sorry.«

Da war sie endlich, die Entschuldigung, auf die die Gruppe gewartet hatte.

AUSGEBEUTETE INSELBEGABUNG

– Das Fringe-Festival in Edinburgh –

Vernünftige Menschen liegen im August in Spanien am Strand oder fahren mit dem Wohnmobil durch Frankreich. Ich hingegen verbringe den Monat damit, im kalten schottischen Regen Flugzettel zu verteilen. Dabei streite ich mich mit 2500 anderen Künstlern um das nur begrenzt verfügbare Publikum. Es ist völlig bescheuert – und alle machen mit.

So ist das Edinburgh Fringe-Festival mittlerweile das größte Kuriositäten-Kabinett der Welt. Wo sonst kann man innerhalb eines Tages ein Shakespeare-Stück sehen, David Hasselhoffs trashige Solo-Show, eine Lesung mit Stephen Fry, die Revue der »Lady Boys of Bangkok« und mich.

Für die gesamte Unterhaltungsindustrie, aber vor allem für Komiker, ist das Fringe ein Muss.

Dass das Festival im wunderschönen Edinburgh stattfindet, ist dabei Teil seiner Magie und Anziehungskraft. Alleine die in einen gigantischen Felsen gehauene Burg, die über der Stadt zu schweben scheint, ist ein so majestätischer Anblick, dass sie einen unmittelbar nach der Ankunft in ihren Bann zieht. Es ist wie eine Zeitreise, sofort fühlt man sich in die Vergangenheit katapultiert, wofür auch die Traditionen sorgen, die hier mit Leidenschaft gepflegt werden. So wird von der Burg aus nach wie vor jeden Tag durch Kanonenschüsse die Mitte das Tages markiert. Ursprünglich war das ein Dutzend Schüsse um Punkt zwölf Uhr. Die sparsamen Schotten in der Burg hatten aber eine bessere Idee und verlegten einfach kurzerhand die Mitte des Tages um eine Stunde nach hinten. Warum zwölf mal feuern, wenn man auch mit einem einzigen Schuss dasselbe Resultat erzielt? So viel Sparsamkeit ist buchstäblich der Knaller, und der schottische Stolz auf die eigene vermeintliche Schwäche sowieso.

Es ist unmöglich, das humorige Volk des so knapp an der Unabhängigkeit vorbeigeschrammten Teilstaates des Königreichs nicht zu lieben. Und so begann meine Lovestory im Jahr 2009, bei meinem Fringe-Debüt.

Stewart war der erste echte Schotte, den ich kennenlernte. Ein zwei Meter großer Sean Connery, dabei laut wie zwanzig Dudelsäcke und gewandet in die komplette schottische Tracht: Kilt, Sporran, Messer, das volle Programm. Stewart zeigte mir sofort, dass die Schotten Meister der Selbstironie sind. Er holte eine Mausefalle aus der Tasche, eingeklemmt darin war ein 5-Pfund-Schein.

»Was ist das?«

Stewart ließ mir keine Chance zu antworten und setzte die Pointe:

»Ein schottisches Portemonnaie!«

Dieser Mann musste verwandt sein mit dem Kanonier der Burg. Dass die Schotten nicht gerade mit Geld um sich werfen, ist ein gängiges Klischee. Ob das aber wirklich stimmt, sollte sich erst noch herausstellen. Ich war am ersten Tag des Fringe-Festivals auf der Straße unterwegs und verteilte Flyer für meine kostenlose Show. Freier Eintritt, das sollte doch gerade bei den vermeintlich sparsamen Schotten gut ankommen. Umsonst ist schließlich der beste Schottenpreis von allen. Doch ganz so einfach war es nicht. Ich verteilte also Flugzettel und fragte ein schottisches Paar:

»Would you like to see a free comedy show?«

Der Mann begegnete mir mit Skepsis und setzte neue Standards: »Well, how free is it?«.

Und diese Erfahrung war kein Einzelfall. Einer meiner Komiker-Kollegen machte eine Show in Leith, einem Hafen-Vorort von Edinburgh, eine klassische Arbeiter-Gegend. Die Show fand auf einem Boot statt, das bis auf den letzten Platz besetzt war, 65 Zuschauer zwängten sich auf das enge untere Deck. Der Abend war ein voller Erfolg, das Publikum applaudierte minutenlang. Am Ende der Veranstaltung sagte der Komiker: »Der Eintritt zur Show war frei, daher gibt es jetzt im Anschluss eine kleine Kollekte. Ich stehe gleich mit einem Hut am Ausgang und freue mich über ein paar Spenden. Zwei bis fünf Pfund pro Person wären toll.«

Er hatte die Rechnung ohne die Schotten gemacht. Die 65 Zuschauer gingen fröhlich an ihm vorbei, bedankten sich und lächelten. Am Ende guckte er erwartungsfreudig in den Hut: 2,65 Pfund als Gesamtergebnis von 65 Zuschauern! Er war am Boden zerstört, nahm den Bus zurück nach Edinburgh und erzählte uns seine Geschichte in der Loft Bar, wo sich allabendlich ein Großteil der Komiker zum Feierabend-Drink trifft. Er klagte: »2,65 Pfund. Das war nicht mal genug für die Busfahrkarten!«

Stewart, unser Vorzeige-Schotte, stand neben uns, hörte nur das Ende der Geschichte und fragte: »Where was that?«

»In Leith.«

Stewart entgegnete: »Two pound sixty-five? In Leith? They fucking loved you!«

Überhaupt: Stewart. Einige Tage später fragte er mich in seinem üblichen Lautstärkepegel, ob ich jemals einen vernünftigen Whisky getrunken hätte. Ich sagte, ich hätte zwar schon öfter einen Scotch getrunken, aber ich verstünde ähnlich viel von Whisky wie er vom Flüstern. Es gab also Nachholbedarf. Stewart schlug mir heftig auf die Schulter und sagte, er würde mir den besten Single Malt in der besten Whisky-Bar Edinburghs ausgeben. Da sagte ich gerne zu. Er führte mich die Royal Mile hinunter, fast bis ganz hinab zum Parlament, das übrigens das hässlichste Parlamentsgebäude der Welt sein muss. Das zuständige Architekturbüro lag wohl zu nah an eben jener besten Whisky-Bar der Stadt. Anders ist dieses Bauwerk, das wie ein Kompromiss aus 17 verschiedenen Vorschlägen aussieht, jedenfalls nicht zu erklären.

Wir betraten also die Bar, die den fabelhaften Namen Kilderkin trug, und setzten uns an den Tresen. Kilderkin ist übrigens ein altes keltisches Wort und bedeutet »Parlamentsapotheke«. Der Besitzer James begrüßte uns und unterstrich die rekordverdächtige Auswahl an Single Malts, wir seien am richtigen Ort. Stewart betonte, dass »our German friend here« noch nie einen vernünftigen Whisky getrunken habe und man das jetzt gerne ändern wolle. Er sei hier, um mir den besten Whisky Schottlands auszugeben: »My treat!«, betonte er. Daraufhin zauberte James eine wunderbar aussehende Flasche mit flüssigem Gold hervor. Das schottische Abendlicht fiel durch die Flasche, und ich war mir sicher, so schön goldfarben hatte seit dem Verschwinden des Bernsteinzimmers nichts mehr geleuchtet. James goss den Whisky ein, servierte ein Gläschen Wasser dazu und betonte noch einmal die Besonderheit dieses außergewöhnlichen Getränks. Ein ganz wunderbarer Tropfen, war man sich einig. Und ich muss sagen, er schmeckte fantastisch. Ein intensiver, rauchiger aber dennoch unglaublich sanfter Geschmack, ich war begeistert. Dann sagte James die magischen Worte zu Stewart: »That's 17 pounds!«. Siebzehn Pfund für ein Glas Whisky, ich war sprachlos. Stewart hingegen war es nicht. Er drehte sich zu mir und wiederholte: »That's 17 pounds.« Ich war irritiert. Hatte Stewart nicht gesagt, er würde mir den Whisky ausgeben? Ich hatte noch seine Worte im Ohr: »My treat.« So habe er das nicht gemeint, sagte mein schottischer Freund. Von Bezahlen war vorher nie die Rede gewesen. Er holte das Mausefallen-Portemonnaie hervor und sagte: »Remember?«.

Dann brüllte er mir aus zehn Zentimetern Entfernung ins Ohr: »Welcome to Scotland, my friend!«

Nice one.

So hatte ich mich schnell in das Land und die Leute verliebt. Es könnte wirklich keinen besseren Ort für das größte Comedy-Festival der Welt geben.

Neben dem kanadischen »Just for laughs«-Festival in Montreal ist Edinburgh das El Dorado der Stand-up-Comedy: das Mekka, das gelobte Land, das Arkadien, das Schlaraffenland. (Ich hoffe, meine Begeisterung kommt rüber?)

Im Gegensatz zum Festival in Kanada tritt jeder Komiker beim Edinburgh Fringe jedoch wesentlich häufiger auf, wir spielen unsere Solo-Shows dort jeden Tag, drei Wochen lang. Hinzu kommen viele Gastauftritte in anderen Shows. So komme ich in 21 Tagen auf knapp hundert Auftritte.

Danach fühle ich mich jedes Mal völlig erschöpft und um zehn Jahre gealtert, dafür aber auch als Künstler um zehn Jahre gereift. Das Fringe ist somit eine Art Showbusiness-Zeitraffer.

Und nicht nur die gesamte Szene ist da. Da das Festival aus mehreren Sub-Festivals besteht, die nicht zentral organisiert oder kuratiert sind, kann theoretisch jeder teilnehmen – und macht das auch.

Denn ein Auftrittswilliger muss keinerlei Qualifikation oder

Qualitäts-Nachweise mitbringen, sondern lediglich einen Veranstaltungsort finden. Während der drei Festival-Wochen im August wird in Edinburgh dann alles zum Venue, vom größten Theater, über die Kneipen, die Burg, Museen, Kinos, Friseur-Salons, Busse und sogar die alten Höhlen im Tunnelsystem der Stadt, die im Mittelalter unter anderem als Transportweg zum Leichen-Schmuggel zwischen Friedhof und Medizin-Fakultät genutzt wurden. So stirbt man als Künstler nicht unbedingt den bisher schlimmsten Tod am jeweiligen Ort.

Und das Alter der Spielorte bringt weitere Besonderheiten mit sich. Denn wer in einer 500 Jahre alten Höhle auftritt, kann nicht immer mit Sicherheitsbedingungen nach modernstem EU-Standard rechnen. So brannte beim Fringe 2015 das Venue, in dem ich allabendlich eine Show moderierte, eines Nachts einfach aus. Die Elektrizität hatte die improvisierten Stromanschlüsse in dem antiken Gewölbe wohl überfordert. Auf den Kabelbrand folgte ein richtiger Brand. Doch das alte Gemäuer hielt natürlich stand. Mauern, die vor Jahrhunderten gebaut wurden, um den Feind außerhalb der Stadt zu halten, lassen sich von ein paar dahergelaufenen Komikern doch nicht kleinkriegen.

Zu Schaden kam übrigens niemand, und nach 24 Stunden war alles wiederhergestellt. The show must go on.

Austrainiert genug, um im Brandfall zu flüchten, sind sowieso alle Künstler und Zuschauer beim Fringe, denn über mangelndes Fitness-Training kann man sich während des Festivals nicht beklagen. Schließlich ist Edinburgh eine äußerst dreidimensionale Stadt, überall gibt es Brücken, Tunnel, hochgelegene Straßen, Überbauten und steile Gassen.

In dieser Stadt scheinen die Gesetze der Physik nicht zu gelten. Man läuft auf dem Hinweg zu einem Venue ausschließlich bergauf, um dann auf dem Rückweg festzustellen, dass es wieder bergauf geht. Es geht einfach immer bergauf. Was die wenigsten wissen: Edinburgh ist ein altes keltisches Wort und bedeutet »Gesäßmuskel aus Stahl«.

Und in diesem dreidimensionalen Labyrinth verlaufen sich nun im August große Mengen an Festival-Besuchern aus der ganzen Welt. Der Stadtplan hilft da nur bedingt:

»Wo ist denn Venue 287? Das muss doch genau hier sein!«

»Die Koordinaten stimmen, aber das Venue liegt eine Ebene unter uns.«

Ein ordentlicher Stadtplan würde hier mit 3D-Brille ausgeliefert. Und auf allen Ebenen dieser Karte gibt es nun Spielorte in unglaublich großer Zahl. Hat ein Laden eine Venue-Nummer, die dieser gegen eine geringe Gebühr von der Festival-Leitung bekommt, können dort Veranstaltungen stattfinden, und er kann im offiziellen Programm aufgelistet werden, dies wiederum gegen eine Gebühr von einigen Hundert Pfund. Das heißt aber noch lange nicht, dass Zuschauer kommen, schließlich konkurriert man mit mehr als 2500 Shows – pro Tag. Gerüchten zufolge ist die durchschnittliche Zuschauerzahl beim Fringe daher: sieben. Und wie immer bedeutet Durchschnitt, dass es auch viele Shows gibt, die darunter liegen. Nicht selten wird eine Aufführung abgesagt, da die unbesetzte Stuhlsammlung eher an ein Möbelhaus oder eine Kunst-Installation erinnert.

Daher handelt es sich bei eben jenem Begriff »Publikum« auch um die am meisten umkämpfte Ressource während des Festivals. Ein Königreich für einen Raum voller Zuschauer!

Doch wie umwirbt man es, das scheue Wesen Zuschauer, sodass es sich für die eigene Show entscheidet? Um das zu verstehen, müssen wir zunächst die Struktur des Festivals unter die Lupe nehmen.

Das Fringe lässt sich grob in zwei Arten von Ausbeutung einteilen, für die ich mich als Künstler entscheiden kann: die finanzielle oder die körperliche.

Zum einen gibt es Veranstaltungen, für die das Publikum ganz klassisch Tickets vorab kaufen muss. Bei diesen »paid shows« entstehen für den Künstler allerdings im Vorfeld sehr hohe Kosten, da ich dem Veranstalter horrende Gebühren zahlen muss, die ihn im Falle akuten Publikumsschwundes doppelt und dreifach entschädigen – es kostet ein Vermögen. Dafür bewirbt der Veranstalter die Show, sorgt für die technische Betreuung, den Ticket-Verkauf etc. Oft kommt noch ein PR-Aufschlag dazu. Es erinnert an ein Schutzgeld-System sizilianischen Stils. So verliert ein Komiker mit einer »paid show« in den drei Wochen des Festivals selbst bei einem komplett ausverkauften Lauf noch ungefähr 4000 bis 8000 Pfund. Die vier großen Veranstalter verdienen daran wunderbar, die Komiker schauen in die Röhre. Wenn ich 20 Tage am Stück je 60 Minuten lang auftrete, sind das insgesamt 1200 Minuten. Ich zahle also zwischen 3,33 und 6,66 Euro pro Minute dafür, vor ausverkauftem Hause aufzutreten. Nun bin ich kein Mathematiker, aber es scheint sich da ein moralischer Vorzeichenfehler eingeschlichen zu haben.

In diesem Falle macht mir der Pate also ein Angebot, das ich nur ablehnen kann.

Warum also tun sich das so viele Künstler an? Die Erklärung ist einfach. In einem von Tausenden Komikern übersättigten Markt, zielen viele Comedians auf Aufmerksamkeit innerhalb der Szene, in der Presse sowie auf Buchungen für weitere Veranstaltungen ab. Mit diesen hofft man im Idealfall darauf, den Verlust wieder wettzumachen. Der Künstler erkauft sich sozusagen einen Karriere-Boost. In den meisten Fällen handelt es sich dabei aber eher um ein Strohfeuer oder einen Rohrkrepierer, da es einfach zu viele Komiker gibt. Wer im Spielcasino den Verlusten hinterherläuft, weiß ja auch todsicher, dass der große Wurf direkt hinter der nächsten Ecke wartet.

Im Jahr 2008 wies der amerikanische Komiker Doug Stanhope mit einer PR-Aktion auf dieses Problem der hohen Kosten und Abhängigkeiten beim Fringe hin. Er trat in dem Jahr nur ein einziges Mal auf. Seine Show dauerte 16 Stunden, und es gab dafür nur eine Eintrittskarte; Ticket-Preis: 7349 Pfund. Diese Summe war nicht willkürlich gewählt, sondern entspricht genau dem Betrag, den jeder Komiker in den vorherigen Jahren im Schnitt pro Show in Edinburgh verloren hatte. Durchschnitt heißt hier wieder, es gibt Fälle mit noch wesentlich höheren Verlusten.

Diese Aufmerksamkeit, die Doug Stanhope mit seiner Aktion erreichte, bestärkte noch einmal die Organisatoren der mittlerweile seit über 15 Jahren existierenden Gegenbewegung, das Free Fringe, bei dem ich nun auch seit Jahren mitmache. Hier ist die Ausbeutung nicht finanziell, sondern körperlich. Denn es sei dran erinnert: Fringe ist ein altes keltisches Wort und bedeutet »ausgebeuteter Spaßmacher, der auf einer Holzkiste steht«.

Das Free-Fringe-Prinzip ist dabei aber die wesentlich bessere Ausbeutungsmethode. Ich habe mich schon immer lieber physisch erschöpfen lassen als finanziell. So habe ich wenigstens das Gefühl, einer ehrlichen körperlichen Arbeit nachzugehen. Sich selbst belügen ist doch was Feines.

Beim Free Fringe zahle ich als Komiker nichts für mein Venue, das Publikum zahlt nichts für die Tickets. Weder Publikum noch Komiker werden also über den Tisch gezogen. Dadurch sind die Läden voll, und die Bar verdient an den Getränken. Das Publikum zahlt im Anschluss an die Show einen freiwilligen Beitrag direkt an den Künstler. So werden sämtliche Mittelsmänner ausgeschlossen, ein faires System entsteht. Als Komiker habe ich dann nur die Kosten, für die ich mich selbst entschieden habe: Poster, Flyer, Werbung und so weiter. Und das Publikum kann, ganz nebenbei, noch mehr Shows pro Tag besuchen, da es sich sein Budget selbst einteilt. So bleibt neben den Lady Boys of Bangkok noch Zeit für ein Theaterstück gelangweilter Privatschüler, für meine Show und für das alljährliche Spektakel »A young man dressed as a gorilla dressed as an old man sits rocking in a rocking chair for fifty-six minutes and then leaves«.

So etwas darf man sich nicht entgehen lassen. Die Gratis-Shows erlauben schräge Experimente und werden daher der Fringe-Idee umso gerechter. Das Free Fringe ist in den vergangenen Jahren daher immer größer und erfolgreicher geworden, sodass mittlerweile auch sehr große Namen dort auftreten. Beim Free Fringe haben aber auch nicht so bekannte Komiker die Möglichkeit, ein Venue zu füllen, da das Publikum kostenlosen Shows oft eher eine Chance gibt, als den klassischen 10-Pfund-Shows. Hier kommt uns wieder die Sparsamkeit der Schotten zugute.

Die Produktionsbedingungen bei den unbezahlten Shows sind furchtbar, lautet ein häufiger Einwand der Veranstalter der bezahlten Shows. Das stimmt zugegebenermaßen, ist aber bei einer Kunstform wie der unseren völlig zweitrangig. Stand-up-Comedy braucht: ein Mikrofon, einen dunklen Vorhang, zwei Lautsprecher und einen Scheinwerfer. Gesamt-Budget: 300 Euro. Hat man in einem Raum acht Shows pro Tag, 20 Tage lang, sind das 160 Aufführungen. Die Produktionskosten pro Show liegen also bei unter zwei Euro. Da wird jeder osteuropäische Erotikfilm-Produzent neidisch.

Zwei Euro Kosten pro Show bei den Free Shows im Vergleich zu drei bis sechs Euro pro Minute in den bezahlten Shows. Da habe ich dann zwar auch kaliforniagelbes und arizonablaues Licht, aber damit wurde schon Hape Kerkelings Show-Ikone Heinz Wäscher nicht glücklich.

Wäscher ist übrigens ein altes keltisches Wort und bedeutet »lustiger Glückshase«.

Das Publikum schätzt auch ohne buntes Licht den Underground-Geist des Free Fringe, alles dort wirkt rauer, echter, ehrlicher. Als ich im Jahr 2009 das erste Mal nach Edinburgh kam, war das Free Fringe passend zum Wort »Fringe« noch eine Randerscheinung. Genau wie ich. Ich spielte in einem 30-Sitzer und verteilte auf eigene Faust stundenlang Flyer im schottischen Regen, um den Raum zu füllen. Und es gelang mir. Danach bin ich dann jedes Jahr gewachsen (jaja, 2 Meter, ich weiß) und habe mir größere Räume vorgenommen – und gefüllt: erst 50 Plätze, dann 80, 100, schließlich 150. Je mehr ein Komiker als Name etabliert ist, umso einfacher ist es natürlich, den Saal zu füllen. Hinzu kommt, dass ich im Laufe der Jahre mehr und mehr Aufwand betrieben habe: Werbung, eine studentische Armada zum Flyer-Verteilen, große Banner, Pressearbeit durch die unermüdliche Christine Cole.

Jemand wie Christine ist vor allem bei großen Projekten wie dem Edinburgh Festival eine immense Hilfe. Sie hält mir den Rücken frei, während des Fringe bin ich als Komiker nämlich im Ausnahmezustand. Neben der täglichen Solo-Show moderiere ich jeden Abend die internationale Show »The Comedy World War«. Als Deutscher beginne ich sie natürlich – ganz historisch korrekt – jeden Abend, und in der Regel buche ich einen Amerikaner, der etwas verspätet hinzukommt und die Veranstaltung dann siegreich beschließt.

Thematisch natürlich umso schöner, dass mir ausgerechnet bei dieser Show im Jahr 2015 das Venue abgebrannt ist, das auch noch aussah wie ein Bunker.

Neben diesen beiden Shows mache ich pro Tag vier bis sechs Gastauftritte in sogenannten Showcase-Shows, also eine Art »Best of the Fringe«. Bei diesen Veranstaltungen spielt jeder Gast ca. 10 Minuten und bewirbt am Ende seine Show. Die Komiker geben dann jedem Zuschauer beim Verlassen des Saals einen Flyer in die Hand. So, und nur so, werde ich dann im Laufe der drei Wochen meine 20 000 Flyer los – und mit Christines Hilfe, versteht sich. Zwanzigtausend Flyer, das sind ungefähr tausend Flugblätter pro Tag. Die schwarzhumorigen Briten nennen Christine und mich daher auch die Geschwister Scholl von Edinburgh.

Bei meinem ersten Fringe hatte ich nur 5000 Flyer drucken lassen. Das klingt im Nachhinein wenig, war aber mit mehr Aufwand verbunden als die 20 000 Flyer heutzutage. Damals machte mir nämlich eine vermeintlich tolle Idee mein Leben zur Hölle. Ich hatte mir ein originelles Alleinstellungsmerkmal überlegt, meine Flyer waren kleine deutsche Reisepässe. Außen sahen sie aus wie ein Pass, innen stand die Show-Information. So wollte ich mich von der Masse abheben. Was auch gelang. Nur hatte ich unterschätzt, dass ich ja jetzt fünftausend kleine Pässe falten musste. FÜNFTAUSEND! Ich, der ich damals den Wehrdienst verweigerte, weil ich keine Lust hatte, pro Tag drei T-Shirts aufzufalten. Und jetzt warteten fünftausend Flyer? Christine erklärte schnell, dass sie nicht zur Verfügung stand. Ich musste es also selber machen.

Ich überwand schließlich meine Ungeduld, faltete tagein, tagaus meine kleinen Reisepässe und trainierte nebenbei meine Hand- und Unterarm-Muskulatur. Ich wurde dabei zum Selektiv- und Qualitäts-Flyerer. Denn wann immer ich Passanten oder Zuschauern meine gefalteten Kostbarkeiten in die Hand drückte, sagte ich: »Bitte werft sie nicht weg, es war unglaublich viel Arbeit! Nehmt nur einen Flyer, wenn ihr wirklich zur Show kommen wollt.« So hielten mich wohl alle für etwas seltsam, aber es funktionierte, mein Saal wurde jeden Tag voll. Mitleid kann also auch ein Weg zum Glück sein. Ich hatte einen neuen Ansatz gefunden. Sofort spielte ich mit der Idee, im kommenden Jahr noch stärker auf das Erfolgsrezept Mitleid zu setzen:

abgewetzte Kleidung beim Handzettel-Verteilen, ein dreibeiniger Hund, Kinderarbeit?

Ich müsste das noch mal mit Christine besprechen...

Jeder, der während des Festivals die Royal Mile enlanggeht, bekommt Hunderte von Flugzetteln in die Hand gedrückt. Es ist ein beliebtes Spiel, die Meile abzulaufen, ohne einen einzigen Handzettel anzunehmen. Ein nahezu unmögliches Unterfangen. Ob man sie annimmt oder nicht, der Nutzen ist ähnlich. Denn spätestens ab dem fünften Zettel ist die Informationsflut sowieso zu groß, die Flyer-Inflation gigantisch. Diese meist DIN-A5-großen Zettel nerven im Prinzip jeden. Den, der sie verteilt, den, der sie bekommt oder ablehnt – und natürlich den, der sie einzeln falten muss, weil er eine blöde Reisepass-Idee hatte. Jeder, wirklich jeder ist genervt.

Was kaum verwundert, denn Flyer ist ein altes keltisches Wort und bedeutet: »Danke, dass du mein Altpapier entsorgst.«

Man muss aber zum Glück nicht jeden Zuschauer per Handzettel gewinnen. Neben den Gästen, die mich im Fringe-Katalog oder im Internet finden, gibt es auch Stammpublikum.

Es ist ein schönes Gefühl, wenn Jahr für Jahr Zuschauer wiederkommen, um die neue Show zu sehen. Zum einen machen Stammzuschauer das Füllen des Saals leichter. Zum anderen sind sie eine schöne Bestätigung für die Qualität der eigenen Arbeit. Beim Fringe 2015 sprach mich nach meinem Auftritt ein Mann an und fragte, ob ich mich an ihn erinnere. Nun kommt das nach Auftritten gerne mal vor. Das Publikum erinnert sich natürlich eher an den Komiker, so wie sich Schüler nach der Schulzeit eher an den Lehrer erinnern als der sich umgekehrt an sie. Ein Lehrer unterrichtet pro Schuljahr viele verschiedene Klassen und kommt im Laufe seiner Laufbahn auf Tausende von Schülern. Jeder Schüler kommt auf vielleicht dreißig Lehrer und hat so automatisch die mathematische Erinnerungswahrscheinlichkeit auf seiner Seite. Uns Komikern geht es genauso. Selbst wenn ich nur die Zuschauer bedenke, die ich im Laufe meiner Shows anspreche, so sind das immer noch viele Hundert pro Jahr. Ich erinnere mich daher nicht unbedingt an jeden Einzelnen. Nun stand also dieser junge Mann vor mir, und ich konnte ihn nicht einordnen. »Oh ja, ich glaube ja. Wann war das noch?«, flunkerte ich mal wieder britisch-höflich. Er holte seine Frau dazu, und das Paar lachte bis über alle vier Ohren. Sie erzählten mir ihre Geschichte, und meine Erinnerung kam zurück.

Die beiden hatten beim Fringe drei Jahre zuvor in meiner ersten Reihe gesessen. Ich hatte sie damals gefragt, ob sie zusammen seien. Sie sagten Nein. Ich fragte weiter, ob sie einander mochten. Beide wurden verlegen. Der Saal applaudierte, und die beiden trauten sich zum ersten Mal, die Hand des anderen zu halten. Es folgte der erste Kuss noch am selben Tag, und schließlich wurden die zwei ein Paar. »Jetzt sind wir verheiratet – und heute ist unser Jahrestag. Wir wollten dir dafür danken. Ohne deine Show hätten wir uns vielleicht nie getraut, aus unserer Freundschaft mehr zu machen.«

Ein schöner Moment. Und ich habe ihn natürlich ruiniert, indem ich sagte: »Gut, dass ihr damals nicht zu den Lady Boys of Bangkok gegangen seid.«

Zwischenmenschliches und Soziales beschränkt sich für mich als Komiker während des Festivals sowieso eher auf den allabendlichen Besuch in der Loft-Bar. Da die Tage hauptsächlich aus Auftritten, Flyer-Verteilen, Interviews und extrem viel Herumlaufen bestehen, bin ich froh, abends in Ruhe mit meinen Freunden und Kollegen die Geschehnisse des Tages Revue passieren zu lassen. Dafür ist die Loft-Bar, die sich im Dachgeschoss der Uni-Bücherei befindet, ideal. Hier haben nur Künstler, Promoter, Manager und andere Vertreter der Comedy-Industrie Zutritt. Es gibt also weder Zuschauer noch Flyer oder Selfies. Dafür eine Menge Egos – und man kommt dort mit vielen dieser Egos ins Gespräch. Im Prinzip laufen dabei die meisten Gespräche gleich ab:

»Hi Christian, wie war dein Tag? Meine Show war mal wieder ausverkauft!« Ich muss weg.

Der nächste Kollege: »Wie läuft's bei dir? Ich habe schon wieder eine Preis-Nominierung!« Ich muss weg.

»Wie geht's? Meine Show ist die beste, die ich je gemacht habe.« Ich muss weg.

»Hey Christian, war dein Tag auch so beschissen?« Hier bleibe ich.

In die Loft-Bar gehen die Komiker aus unterschiedlichen Gründen. Die meisten kommen zum Angeben, viele zum Kontakteknüpfen, einige wenige zum Dampfablassen (»Nur 2,65 Pfund im Hut!«), und der Rest zum Freunde treffen. Und dann ist da noch Hugh Grant. Einmal stand er neben mir auf der Dachterrasse, umzingelt von einer Entourage sehr junger Damen. Eine von ihnen sagte, wie froh sie war, dass sie endlich einen Laden gefunden hatten, der keine Alterskontrolle beim Einlass machte. Bezog sie sich etwa auf den mittlerweile etwas zu alt für die Loft-Bar aussehenden Hugh? Oder waren die Damen ... – man möchte es gar nicht wissen.

Auch Hugh Grant schien das egal, er bestellte eine Runde Getränke und fing mit einer Art Mund-zu-Mund-Beatmung bei einer der Begleiterinnen an. Lustigerweise suchte er sich dafür die Einzige in der Runde aus, die optisch an Divine Brown erinnerte.

Ein großes Hallo erfüllte die Bar – wenig überraschend.

Wenn ein britischer Hollywood-Schauspieler, der mit Liz Hurley verheiratet war und währenddessen mit der Prostituierten Divine Brown beim Techtelmechtel im Auto erwischt wurde, sich in einer Bar voller britischer Komiker aus einer Gruppe junger Verehrerinnen die einzige Schwarze aussucht, dann ist das Gesprächsthema des Abends natürlich festgelegt. Zum ersten Mal waren alle anderen Egos nicht mehr Gegenstand der Gespräche. Herrlich. Hugh Grant ist übrigens ein alter keltischer Name und bedeutet »Alle Augen auf mich!«.

Was machte der Schauspieler eigentlich in der Komiker-Bar? Egal, denn er hatte die Lacher ja auf seiner Seite. Die jungen Damen in Hughs Entourage sorgten in der Künstler-Bar auch darum für Aufsehen, weil die Comedy-Branche insgesamt stark männerlastig ist. Die Loft-Bar ist daher die einzige Bar, die ich kenne, in der sich an der Männer-Toilette eine lange Schlange bildet (was dieses Mal nicht am Dyson Airblade liegt), während die Frauen flötend vorbeigehen und an ihrer Toilette null Wartezeit haben. Eine verkehrte Welt.

Die Frau, die man in Edinburgh am häufigsten sieht, ist natürlich Königin Elizabeth II., denn es dreht sich beim Fringe vieles ums Geld. Und vom Schein grüßt freundlich: die damals noch junge Monarchin. Zwar ist die deutschstämmige Lisbeth auf allen englischen Pfund-Noten abgebildet, nicht jedoch auf den schottischen Geldscheinen. Auch die Schotten nutzen das Pound Sterling, sie drucken jedoch ihre eigenen Banknoten. Hebt man also Geld an einem Automaten in Edinburgh ab, so spuckt dieser ausschließlich schottische Scheine aus. Die englischen Scheine kommen während des Festivals in den Taschen der angereisten Zuschauer an. So ergibt sich in den Portemonnaies, in den Kassen und in den Gesichtern der Touristen ein kurioses Bild: so viele verschiedene Scheine, alles so schön bunt hier. Kommen dann noch nordirische Scheine hinzu, hat man gerne mal sechs verschiedene 5-Pfund-Noten vor sich. Ein wunderbares Schein-Chaos. Bei den Free-Fringe-Shows zahlen mir die Leute ja nach meiner Show das Geld direkt in bar in den Sekt-Eimer. Für mich als katholisch aufgewachsenen ehemaligen Messdiener ein vertrautes Bild: ein Blick in schuldvolle Gesichter bei der Kirchenkollekte.

Der Trick bei der Nach-Comedy-Kollekte ist dabei küchenpsychologisch einfach. Ich möchte ja, dass die Zuschauer beim Rausgehen möglichst alle zahlen – und dabei möglichst großzügig spenden. Also verbarrikadiere ich den Weg nach draußen so gut es geht, bis auf einen Ausgang sind alle Türen verrammelt (der Brandschutzverordnung wird eine kurze Pause gegönnt – was kann schon schiefgehen?), diese Tür wird nur halb geöffnet, sodass jeweils nur eine Person hinausgehen kann. Alle anderen Zuschauer stauen sich vor mir und haben somit mehr Zeit, um in ihrem Geldbeutel zu suchen: nach schottischen, nordirischen oder englischen Scheinen. Münzen fallen zwar auch in den Eimer, sind aber nicht hörbar. Denn ich habe vorgesorgt und den Eimer mit einem dicken Handtuch ausgepolstert. Wer Münzen hört, denkt an Münzen. Wer nichts hört, denkt eher an Scheine.

Doch die Psychologie geht weiter. Immer wenn ein Zuschauer großzügig ist, sage ich sehr laut »Wow, 20 Pfund, vielen Dank. Sehr großzügig!«. Die hinter ihm Stehenden vergleichen dann den Kleinstbetrag in ihrer Hand mit den 20 Pfund und stocken noch mal auf. Da ist es wieder, das katholische Schuldgefühl bei der Kollekte. Wenn der Nachbar einen Schein in den Klingelbeutel wirft, kann ich nicht mit Kupfer kommen. Wer hätte gedacht, dass meine Messdiener-Jahre in der Halterner St. Sixtus-Kirche sich noch mal so sehr auszahlen würden.

Natürlich geben manche Zuschauer sehr wenig oder gar

kein Geld: Studenten, Jugendliche, Arbeitslose oder eben mein Kumpel Stewart. Kein Problem, denn andere sind großzügig. So gleicht sich alles aus, und das Free Fringe wird zum fairen System.

Nach Hunderten von Auftritten bei diesem sehr internationalen Festival habe ich intern eine höchst inoffizielle Rangliste der Großzügigkeit angelegt. Wer gibt nun am meisten, wer am wenigsten? Generell gilt: Paare zahlen mehr, Ältere geben am meisten. Junge Gruppen spenden weniger. Und natürlich spielt die Nationalität eine Rolle, so geben Amerikaner viel, Engländer auch, Deutsche ebenso. Norweger sind am großzügigsten. Spanier und Italiener zahlen als Familien viel, als junge Reisegruppen sehr wenig. Argentinier, Asiaten und Osteuropäer sind eigentlich immer spendabel. Am wenigsten Geld gibt es eigentlich immer von den Brasilianern. Insgesamt zahlen sie nur einen Bruchteil von dem, was andere geben. Ich habe das mal berechnet, das genaue Verhältnis beträgt 1:7. (Wir denken an den Sommer 2014 und legen eine Gedenkminute ein.)

Die Schotten sind beim Geben gar nicht so stereotyp geizig, wie man vermuten würde. Sie lieben Comedy und zahlen gerne dafür. So entschärfen wir gemeinsam zwei Klischees mit einem Schlag:

Ausgerechnet ein Deutscher bringt die Briten zum Lachen. Und ausgerechnet die Schotten zeigen sich großzügig. Das ist gelebte Völkerverständigung.

Dennoch lassen die Schotten natürlich keine Gelegenheit aus, mir unter die Nase zu reiben, wie ernst und unlustig wir Deutschen eigentlich sind. So hat es mal ein Zuschauer aus Edinburgh auf den Punkt gebracht: »Man hat auf einer schottischen Beerdigung mehr Spaß als auf einer deutschen Hochzeit.«

Und eine Hochzeit ist bekanntlich teuer. Um nun also meine gesamten Kosten beim Fringe zu decken, muss jeden Tag ein ordentlicher Betrag im Eimer zusammenkommen. Dafür muss die Show selbstverständlich jeden Tag gut sein. Das Publikum zahlt ja erst nach erbrachter Leistung – wenn es ihm gefallen hat. Würde dieses Prinzip in anderen Bereichen angewendet, sähe die Unterhaltungsbranche anders aus: Der gebührenfinanzierte Rundfunk wäre wohl komplett pleite, Schalke und der HSV noch bankrotter als jetzt.

Ich schlage hiermit vor, das PWYW-Prinzip (Pay What You Want) weltweit für alle Geschäftsbereiche anzuwenden. Mein Friseur würde mir endlich einen vernünftigen Haarschnitt verpassen, die Bahn wäre immer pünktlich, und Starbucks würde endlich merken, wie wenig ein Kaffee wirklich wert ist.

Nun habe ich nach dem Fringe einen Batzen Bargeld vor mir liegen und zahle damit erst mal die hohen Kosten für PR- und Öffentlichkeitsarbeit ab. So ein Haufen Cash ist schon ein seltsamer Anblick. Ich fühle mich dann immer wie ein Drogendealer. Nur dass der keine Kosten für das Erreichen öffentlicher Aufmerksamkeit hat, sondern eher ein Budget zur Verhinderung selbiger.

Bei meinem ersten Fringe im Jahr 2009 war ich mir noch sicher, die Hälfte der Scheine musste Falschgeld sein, kannte ich doch bis dahin nur die englischen Banknoten, auf denen, wie gesagt, ausnahmslos die Hannoveranerin Lisbeth Windsor zu sehen ist. Mittlerweile kenne ich die verschiedenen Scheine mit den Gesichtern von Sir Walter Scott, Robert Burns, Robert the Bruce und all den anderen schottischen Helden. Es fehlen eigentlich nur Gerard Butler, mein Freund Stewart und der sparsame Kanonier der Burg. Wer all diese berühmten Schotten aber nicht kennt, sind die Supermarkt-Kassierer, Shop-Angestellten und Ticket-Automaten in London. Sobald ich in den Wochen nach dem Fringe anfange, in England mit diesen Banknoten zu bezahlen, stoße ich immer auf die selben fragenden Gesichter.

»Sorry, love. What is this?«

»It's a Tenner.«

»We only accept Pound Sterling.«

»That IS Pound Sterling. 10 pounds.«

»No, it's not.«

»Yes, it is. It's from Scotland.«

»We only accept English money.«

»It's British money and it is legal tender in London, too.«

»No, sorry. Scotland is not England.«

Die Kassierer in Londoner Geschäften scheinen die einzigen Briten zu sein, die die schottische Unabhängigkeit durchgezogen haben. Sie und die Ticket-Automaten der Bahn.

Dass das Land nach wie vor Vereinigtes Königreich heißt, zeigt einmal mehr den typisch britischen Humor.

Sterling ist übrigens ein altes keltisches Wort und bedeutet: »Diesen Schein gibt es nicht. Bitte gehen Sie!«

Das Fringe geht also weiter, wenn der August schon längst vorbei ist, nämlich bei jedem Bezahlvorgang in London. Das ist zwar stressig, aber natürlich nicht annähernd so sehr wie die Tage in Edinburgh. Laut dem britischen National Health Service (NHS) geht ein durchschnittlicher Brite drei- bis viertausend Schritte am Tag. Nun bin ich zwar weder Brite (Fakt) noch durchschnittlich (hoffentlich), aber ich erhöhe den nationalen Wert im Monat August sicher ums Vielfache, denn während des Fringe-Festivals bin ich den ganzen Tag nonstop auf den Beinen. Zum Stillstand komme ich dabei eigentlich nur während der Auftritte.

Der Tag beginnt damit, dass ich am späten Vormittag zu

meinem Venue gehe, um zu sehen ob es nicht abgebrannt ist. Dann rolle ich die Aufstell-Banner mit meinem Plakat hoch, lege Flyer aus und sehe nach dem Rechten. Sind Sound und Licht noch richtig eingestellt? Schließlich herrscht nachts in Edinburgh Ausnahmezustand, in fast jedem Laden finden dann Partys statt. Morgens muss man dann die Schäden und Spuren beseitigen.

Ist das geschafft, treffe ich die Studenten, die für mich Flyer verteilen. Zu besprechen gibt es da eigentlich nichts, ich will nur sicherstellen, dass sie einsatzfähig beziehungsweise nicht zu verkatert sind. So ein Festival ist schließlich lang – und ich als Arbeitgeber im Niedriglohnsektor habe da auch eine gewisse Verantwortung. Außerdem will man ja nicht, dass die drei einen Betriebsrat oder eine Gewerkschaft gründen. Maggie Thatcher würde mich verstehen. Schließlich bin ich schon mit ihr aufgetreten.

Im Anschluss an das Treffen mit den Flyerern gehe ich meist zu meinem ersten von drei bis sechs Gastauftritten, jeweils mit anschließendem Handzettelverteilen. In der Zwischenzeit laufen meine drei Studenten herum und bewerben die Show ebenfalls. Wir setzen dabei wieder auf die Mafia-Taktik: Jeder bekommt seinen Teil der Stadt und bringt dort so viel Ware an den Mann wie möglich. Daher erfüllt es mich mit Stolz, dass ich meinen Flyer-Verteilern für die Zukunft große Möglichkeiten eröffne. Mit dieser wertvollen Erfahrung können sie später in diversen Berufsfeldern Fuß fasssen: sei es als Pizza-Lieferant, Paketbote oder Drogenkurier. Our children are the future.

Die bereits erwähnten Gastauftritte sind nicht immer Best-of-the-Fringe-Formate. Da wir bei einem alternativen Festival sind, sind viele Shows speziell: Bei »Shaggers« (Vögler) geht es ausschließlich um Sex, beim »Comedian Rap Battle« treten zwei Komiker gegeneinander an und bekämpfen sich rappend. So bin ich beispielsweise gegen Marcel Lucont angetreten, Deutschland gegen Frankreich. Die Raps zu schreiben und auswendig zu lernen war mühsam, aber es hat großen Spaß gemacht. Der Battle fand in einer (noch nicht abgebrannten) Höhle statt, es gab ausschließlich Stehplätze, und der Ton war rau. Unser Battle kam so gut an, dass wir ihn am Folgetag noch mal bei der »Alternative Comedy Memorial Society« (ACMS) auf die Bühne gebracht haben. Solche Bühnen, auf denen alle Regeln gebrochen werden, gibt es nur in Edinburgh. Und natürlich im Pokal – denn auch der hat bekanntlich seine eigenen Gesetze.

An einem anderen Abend trat ich bei der ACMS auf Deutsch auf, keiner verstand was. Das war auch der Plan. Ich brachte die Leute durch schräge Mimik und mein überzogenes Karikatur-Deutsch zum Lachen. Hinzu kam als großes Finale ein vorher arrangierter Streit mit dem bekannten irischen Komiker Ed Byrne, der plötzlich schreiend auf der Bühne erschien und mir vorwarf, sein deutsches Material geklaut zu haben. Von diesen alternativen Comedy-Momenten lebt das Fringe. Die normalen Comedy-Clubs bieten so etwas nicht, da sie während der regulären Saison eher auf Nummer sicher spielen. So wie bei einem Film-Festival ja auch Streifen zu sehen sind, die man nicht am Samstagabend im Multiplex-Kino zu sehen bekommt.

Es gibt so viele originelle Shows beim Fringe: »Comedians Wrestling«, »Late 'n Live« (wo es eigentlich nur ums Zwischenrufen geht), »Hate 'n Live« (eine Plattform zum Dampfablassen) oder »Comedy Death«, wo drei Komiker von ihren schlimmsten Auftritten berichten.

Bei den meisten dieser schrägen Shows aufzutreten macht großen Spaß. Nichts ist jedoch so speziell wie die Late-Night-Show »Spank!«. Dieses Format ist seit vielen Jahren eine Institution, berühmt und berüchtigt für den wilden Umgangston.

Die beiden Moderatoren sind umzingelt von Hunderten Party-gängern, die sich neben der Stand-up-Comedy vor allem auf zwei Dinge freuen: die Sing-a-longs (also Gruppen-Karaoke-Einlagen) und einen weiteren Klassiker...

Doch dazu gleich mehr.

Sinn und Zweck dieser Gastauftritte ist wie beschrieben das Bewerben meiner spätnachmittäglichen Solo-Show. Ich muss jeden Tag circa 150 Zuschauer in meinen Saal bekommen. Das ist am Wochenende nicht schwierig, aber an einem Dienstag oder Mittwoch sind die Straßen gerne mal leer. Die meisten Touristen bleiben nämlich jeweils ein langes Wochenende, also von Donnerstag bis Montag. Alle denken, sie sind die einzigen Besucher, die so clever sind und das Wochenende verlängern. Bei kühlem Sprühregen an einem Dienstag wünsche ich mir dann, auf die menschenleeren Straßen blickend, dass sowohl Erderwärmung als auch Überbevölkerung bitte noch mal ein bisschen an Dynamik zulegen.

In so einem Moment geht man am besten in ein Venue. Mit meinem verrückten Kumpel Henning sowie Otto Kuhnle, der auch schon sehr erfolgreich in Edinburgh aufgetreten ist, war ich vor einigen Jahren an so einem Tag bei der Solo-Show von David Hasselhoff. Drei deutsche Komiker beim Hoff, zweite Reihe Mitte. Bis heute weiß keiner von uns, wer das Ganze ernst meinte und wer ironisch. Als der Hoff zum gemeinsamen Limbo-Tanzen aufruf, sprang ich über die erste Reihe und reihte mich ein, Otto kam mit – Henning winkte lachend ab. Nach jedem Zuschauer-Limbo gab der Hoff dem Tänzer High Five. Kurz bevor ich dran war, drehte er sich aber gerade zum Publikum und klatschte nicht mehr ab. Ich blieb stehen, tanzte im Stand weiter, hielt den ganzen Laden auf und wartete auf den Hoff. Als der sich wieder zu uns drehte, kam mein

Moment. Ich limbotanzte auf ihn zu, und wir gaben uns High Five. Es war der beste Moment meines Lebens.

Hoff ist übrigens ein altes keltisches Wort und bedeutet: »Lederjackenmann, der die Mauer einriss«.

Dass ich mir Shows von anderen Künstlern (oder David Hasselhoff) angucke, ist eigentlich eine Seltenheit. Normalerweise sind die Tage sehr eng durchgetaktet: Solo-Show, Moderation, Gastauftritte, Interviews und Flyerverteilen.

Spätabends stehen dann die schrägen Shows an. Und die späteste und schrägste Show ist, wie gesagt, »Spank!«.

Comedy, Sing-a-long und die ominöse dritte Kategorie. Als ich das erste Mal für Spank! gebucht war, wusste ich noch nichts von diesem Klassiker. Ich sollte »direkt nach der Promo« auftreten, hatte mir der Veranstalter gesagt. Kein Problem, dachte ich. Da stand ich nun kurz vor meinem Auftritt im Backstage-Bereich und hörte die Ankündigung eben jener Promo. Nur erwähnten die Moderatoren noch ein sehr entscheidendes Füll-Wort: »Up next is the legendary NAKED PROMO!« Der Saal kochte, und ich musste laut lachen. Sollte ich hier einen neuen Tiefpunkt erreicht haben?

Die Moderatorin erklärte die Naked Promo. Wobei, so unglaublich viele Fragen kommen bei dem Titel ja nicht unbedingt auf. Dennoch. Sie erklärte das Konzept:

Ein Freiwilliger aus dem Publikum bekäme die Chance, eine Minute lang etwas auf der Bühne zu bewerben, die eigene Show, eine Internetseite oder einfach nur das eigene Single-Dasein. Nur müsse er dabei nackt sein. Komplett nackt. Nach einer Weile tumultartiger Zustände hatte sich das Publikum auf einen »Freiwilligen« geeinigt, es konnte losgehen. Kaum auf der Bühne angekommen, zog der junge Kerl blank und machte auf eine peinlich berührte junge Dame im Publikum aufmerksam. Er betonte, dass er nichts zu bewerben hätte. Er wollte nur seine Schwester, die mit ihrem neuen Freund hier war, blamieren. Der Beweis wurde wieder mal erbracht: In this country everybody is a comedian.

Als Nächstes war ich dran. Nach kurzem Überlegen ließ ich die Klamotten an, legte los und fühlte mich dabei wie die Putzkolonne im Strip-Club.

Nach dem Auftritt war es Zeit für ein Bier in der Loft-Bar. Das musste ich Hugh Grant erzählen...

SEX, GROUPIES & ROCK 'N ROLL

– Von Eskapaden und Exzessen –

KOMIKER IST EIN ANSTÄNDIGER BERUF. KOMIKER IST EIN ANSTÄNDIGER BE-

RUF. KOMIKER IST EIN ANSTÄNDIGER BERUF. KOMIKER
IST EIN ANSTÄNDIGER BERUF. KOMIKER IST EIN ANSTÄN-
DIGER BERUF. KOMIKER IST EIN ANSTÄNDIGER BERUF.
KOMIKER IST EIN ANSTÄNDIGER BERUF. KOMIKER IST
EIN ANSTÄNDIGER BERUF. KOMIKER IST EIN ANSTÄNDI-
GER BERUF. KOMIKER IST EIN ANSTÄNDIGER BERUF. KO-
MIKER IST EIN ANSTÄNDIGER BERUF. KOMIKER IST EIN
ANSTÄNDIGER BERUF. KOMIKER IST EIN ANSTÄNDIGER
BERUF. KOMIKER IST EIN ANSTÄNDIGER BERUF. KOMI-
KER IST EIN ANSTÄNDIGER BERUF. KOMIKER IST EIN AN-
STÄNDIGER BERUF. KOMIKER IST EIN ANSTÄNDIGER BE-
RUF. KOMIKER IST EIN ANSTÄNDIGER BERUF. KOMIKER
IST EIN ANSTÄNDIGER BERUF. KOMIKER IST EIN ANSTÄN-
DIGER BERUF. KOMIKER IST EIN ANSTÄNDIGER BERUF.
KOMIKER IST EIN ANSTÄNDIGER BERUF. KOMIKER IST
EIN ANSTÄNDIGER BERUF. KOMIKER IST EIN ANSTÄNDI-
GER BERUF. KOMIKER IST EIN ANSTÄNDIGER BERUF. KO-
MIKER IST EIN ANSTÄNDIGER BERUF. KOMIKER IST EIN
ANSTÄNDIGER BERUF. KOMIKER IST EIN ANSTÄNDIGER
BERUF. KOMIKER IST EIN ANSTÄNDIGER BERUF. KOMI-
KER IST EIN ANSTÄNDIGER BERUF. KOMIKER IST EIN AN-
STÄNDIGER BERUF. KOMIKER IST EIN ANSTÄNDIGER BE-
RUF. KOMIKER IST EIN ANSTÄNDIGER BERUF. KOMIKER
IST EIN ANSTÄNDIGER BERUF. KOMIKER IST EIN ANSTÄN-
DIGER BERUF. KOMIKER IST EIN ANSTÄNDIGER BERUF.
KOMIKER IST EIN ANSTÄNDIGER BERUF. KOMIKER IST
EIN ANSTÄNDIGER BERUF. KOMIKER IST EIN ANSTÄNDI-
GER BERUF. KOMIKER IST EIN ANSTÄNDIGER BERUF. KO-
MIKER IST EIN ANSTÄNDIGER BERUF. KOMIKER IST EIN
ANSTÄNDIGER BERUF. KOMIKER IST EIN ANSTÄNDIGER
BERUF. KOMIKER IST EIN ANSTÄNDIGER BERUF. KOMI-
KER IST EIN ANSTÄNDIGER BERUF. KOMIKER IST EIN AN-
STÄNDIGER BERUF. KOMIKER IST EIN ANSTÄNDIGER BE-

RUF. KOMIKER IST EIN ANSTÄNDIGER BERUF. KOMIKER
IST EIN ANSTÄNDIGER BERUF. KOMIKER IST EIN ANSTÄN-
DIGER BERUF. KOMIKER IST EIN ANSTÄNDIGER BERUF.
KOMIKER IST EIN ANSTÄNDIGER BERUF. KOMIKER IST
EIN ANSTÄNDIGER BERUF. KOMIKER IST EIN ANSTÄNDI-
GER BERUF. KOMIKER IST EIN ANSTÄNDIGER BERUF. KO-
MIKER IST EIN ANSTÄNDIGER BERUF. KOMIKER IST EIN
ANSTÄNDIGER BERUF. KOMIKER IST EIN ANSTÄNDIGER
BERUF. KOMIKER IST EIN ANSTÄNDIGER BERUF. KOMI-
KER IST EIN ANSTÄNDIGER BERUF. KOMIKER IST EIN AN-
STÄNDIGER BERUF. KOMIKER IST EIN ANSTÄNDIGER BE-
RUF. KOMIKER IST EIN ANSTÄNDIGER BERUF. KOMIKER
IST EIN ANSTÄNDIGER BERUF. KOMIKER IST EIN ANSTÄN-
DIGER BERUF. KOMIKER IST EIN ANSTÄNDIGER BERUF.
KOMIKER IST EIN ANSTÄNDIGER BERUF. KOMIKER IST
EIN ANSTÄNDIGER BERUF. KOMIKER IST EIN ANSTÄNDI-
GER BERUF. KOMIKER IST EIN ANSTÄNDIGER BERUF. KO-
MIKER IST EIN ANSTÄNDIGER BERUF. KOMIKER IST EIN
ANSTÄNDIGER BERUF. KOMIKER IST EIN ANSTÄNDIGER
BERUF. KOMIKER IST EIN ANSTÄNDIGER BERUF. KOMI-
KER IST EIN ANSTÄNDIGER BERUF. KOMIKER IST EIN AN-
STÄNDIGER BERUF. KOMIKER IST EIN ANSTÄNDIGER BE-
RUF. KOMIKER IST EIN ANSTÄNDIGER BERUF. KOMIKER
IST EIN ANSTÄNDIGER BERUF. KOMIKER IST EIN ANSTÄN-
DIGER BERUF. KOMIKER IST EIN ANSTÄNDIGER BERUF.
KOMIKER IST EIN ANSTÄNDIGER BERUF. KOMIKER IST
EIN ANSTÄNDIGER BERUF. KOMIKER IST EIN ANSTÄNDI-
GER BERUF. KOMIKER IST EIN ANSTÄNDIGER BERUF. KO-
MIKER IST EIN ANSTÄNDIGER BERUF. KOMIKER IST EIN
ANSTÄNDIGER BERUF. KOMIKER IST EIN ANSTÄNDIGER
BERUF. KOMIKER IST EIN ANSTÄNDIGER BERUF. KOMI-
KER IST EIN ANSTÄNDIGER BERUF. KOMIKER IST EIN AN-
STÄNDIGER BERUF. KOMIKER IST EIN ANSTÄNDIGER BE-

RUF. KOMIKER IST EIN ANSTÄNDIGER BERUF. KOMIKER
IST EIN ANSTÄNDIGER BERUF. KOMIKER IST EIN ANSTÄN-
DIGER BERUF. KOMIKER IST EIN ANSTÄNDIGER BERUF.
KOMIKER IST EIN ANSTÄNDIGER BERUF. KOMIKER IST
EIN ANSTÄNDIGER BERUF. KOMIKER IST EIN ANSTÄNDI-
GER BERUF. KOMIKER IST EIN ANSTÄNDIGER BERUF. KO-
MIKER IST EIN ANSTÄNDIGER BERUF. KOMIKER IST EIN
ANSTÄNDIGER BERUF. KOMIKER IST EIN ANSTÄNDIGER
BERUF. KOMIKER IST EIN ANSTÄNDIGER BERUF. KOMI-
KER IST EIN ANSTÄNDIGER BERUF. KOMIKER IST EIN AN-
STÄNDIGER BERUF. KOMIKER IST EIN ANSTÄNDIGER BE-
RUF. KOMIKER IST EIN ANSTÄNDIGER BERUF. KOMIKER
IST EIN ANSTÄNDIGER BERUF. KOMIKER IST EIN ANSTÄN-
DIGER BERUF. KOMIKER IST EIN ANSTÄNDIGER BERUF.
KOMIKER IST EIN ANSTÄNDIGER BERUF. KOMIKER IST
EIN ANSTÄNDIGER BERUF. KOMIKER IST EIN ANSTÄNDI-
GER BERUF. KOMIKER IST EIN ANSTÄNDIGER BERUF. KO-
MIKER IST EIN ANSTÄNDIGER BERUF. KOMIKER IST EIN
ANSTÄNDIGER BERUF. KOMIKER IST EIN ANSTÄNDIGER
BERUF. KOMIKER IST EIN ANSTÄNDIGER BERUF. KOMI-
KER IST EIN ANSTÄNDIGER BERUF. KOMIKER IST EIN AN-
STÄNDIGER BERUF. KOMIKER IST EIN ANSTÄNDIGER BE-
RUF. KOMIKER IST EIN ANSTÄNDIGER BERUF. KOMIKER
IST EIN ANSTÄNDIGER BERUF. KOMIKER IST EIN ANSTÄN-
DIGER BERUF. KOMIKER IST EIN ANSTÄNDIGER BERUF.
KOMIKER IST EIN ANSTÄNDIGER BERUF. KOMIKER IST
EIN ANSTÄNDIGER BERUF. KOMIKER IST EIN ANSTÄNDI-
GER BERUF. KOMIKER IST EIN ANSTÄNDIGER BERUF. KO-
MIKER IST EIN ANSTÄNDIGER BERUF. KOMIKER IST EIN
ANSTÄNDIGER BERUF. KOMIKER IST EIN ANSTÄNDIGER
BERUF. KOMIKER IST EIN ANSTÄNDIGER BERUF. KOMI-
KER IST EIN ANSTÄNDIGER BERUF. KOMIKER IST EIN AN-
STÄNDIGER BERUF.

KNOCK, KNOCK

– Die Tür zum Comedy Store öffnet sich –

Im Mai 2014 war es so weit. Mein mittlerweile sechster unbezahlter Zehn-Minuten-Auftritt im Comedy Store stand an, fast fünf Jahre nach meinem Sieg bei der Gong-Show. So lange und geduldig hatte ich bis dahin an keine Tür geklopft. Selbst wer vor einer besetzten Kneipen-Toilette steht, gibt irgendwann auf und erleichtert sich woanders. Doch hier gab es kein Woanders – ich wollte da rein, und wenn es hundert Jahre dauern sollte. Fünf waren ja schon rum.

Aber die Tür hatte sich über die Jahre immer weiter geöffnet, und Club-Besitzer Don hatte das sogar genauso formuliert: »Keep knocking, you're almost in.« Nun sollte ich also wieder zehn Minuten lang klopfen.

Ich war gut drauf, hatte mich in Form gebracht, indem ich in den letzten zwei Wochen jeden Abend aufgetreten war, doch Losglück hatte ich keines. Denn die anderen Komiker, die für diese Show gebucht waren, bildeten das stärkste Quartett, das ich mir vorstellen konnte. Die Line-ups im Comedy Store sind immer gut, aber das hier heute war noch mal eine Klasse besser als sonst: vier der besten Komiker Großbritanniens, warum gerade heute? Ausgerechnet an so einem Abend sollte ich mich hervortun. Wie sagt der Engländer so schön: »To be the best, you have to play the best.« Das war also heute.

Ich war noch fokussierter als sonst, aber auch locker. Das schien die perfekte Mischung zu sein. Es funktionierte, ich hatte meinen besten Auftritt bisher. Die zehn Minuten waren ein konstanter Lachfluss, ich hatte tatsächlich abgeliefert. Und das in dem Moment, in dem es drauf ankam. Ich war stolz und erleichtert.

Kultkomiker Terry Alderton, der den Abend beschloss und seit Jahren Rekordhalter der meisten Standing Ovations im Comedy Store ist, beglückwünschte mich und garantierte mir: »I'm sure, you're in.«

Don sah das dann tatsächlich auch so. Er gewährte mir eine Audienz in seinem Büro und sagte die magischen Worte des Paten: »Welcome to the Comedy Store.«

Ich war angekommen. Meine erste bezahlte Buchung im Tempel meiner Träume stand an, ich konnte es kaum glauben. Ich erzählte Don, wie glücklich mich das machte, was wiederum auch ihn glücklich machte. Im Hintergrund tobte das Publikum und gab Terry Alderton eine weitere Standing Ovation für seine Sammlung, viel mehr kollektives Glück gibt es selten. Vielleicht war es ja doch nur ein Traum...

Am Montag vergewisserte ich mich dann des Gegenteils und rief im Büro an, um mir meinen Termin geben zu lassen: Februar 2015, also doch kein Traum. Wahnsinn!

Noch neun Monate bis zur Geburt...

UN-HAPPY NEW YEAR

– Ein Jahr geht schlimm zu Ende –

Vorher stand aber noch ein Jahreswechsel an, was in unserer Branche immer sehr speziell ist. Silvester ist für einen Komiker, was Karneval für den Schlagersänger ist: Hochsaison und Zahltag.

So hatte ich am Silvesterabend 2014 vier Auftritte in Camden, dem hippen Viertel Nord-Londons. Dort wo Amy Winehouse nicht nur lebte und gerne mal im Pub um die Ecke Bier zapfte, sondern auch den Modegeschmack vorgab. Ein Hipster-Viertel, in dem jeder Zweite cool ist. Die andere Hälfte sind italienische und spanische Touristen mit Riesenregenschirmen, die die Coolen sehen wollen. Eine interessante Mischung also, vor allem wenn abends die meisten Touristen weg sind und man ein wenig vom alten Camden erlebt. Denn der an einem idyllischen Kanal gelegene Stadtteil hat nach wie vor eine gute Pub- und Club-Kultur, sodass ich mich auf die Auftritte freute – es gibt langweiligere Orte, um ein neues Jahr zu feiern. Doch wie unvergesslich der Abend wirklich werden würde, ahnte ich nicht im Geringsten, ebenso wenig wie die Menschen im Saal.

Sie hatten pro Ticket 30 Pfund bezahlt – also noch mehr als für eine Fahrt mit dem London Eye, was kaum vorstellbar scheint! – und erwarteten entsprechend viel, wurden sie schließlich mit dem Versprechen »Comedy, Veggie Buffet and Party« in den Club gelockt. Nachdem sich das Veggie-Buffet als zwei aufgerissene Tüten Blattsalat, eine Packung Möhren und zwei Päckchen Hummus-Dip herausstellte, war die Stimmung im Saal schon unterschwellig gereizt. Jeder wartete nun darauf, was sich hinter der Comedy-Show mit den angekündigten »TV Stars« verbergen würde. Es ging los. Ich sollte als Erster auftreten, stand hinten im Saal und beobachtete den Moderator Marvin[1], der gleichzeitig auch der Veranstalter des Abends war. Marvin ist als furchtbarer Gastgeber bekannt, der alles falsch macht, was man auf der Bühne falsch machen kann. Eine Karikatur eines Moderators. Das Fremdschämpotenzial ist hoch, und sein Club hat keine wiederkehrenden Zuschauer. Wer mehrmals kommt, tut dies höchstens um zu sehen, ob er wirklich immer so schlecht ist. Um es vorwegzunehmen, er ist es. Würde er sich nicht selber buchen, wäre er niemals auf irgendeiner Bühne zu sehen. Unter allen Comedians Englands sind Geschichten über ihn ein beliebtes Gesprächsthema. Auch an diesem Abend sollten einige hinzukommen. Ich hatte unglaublich viel über ihn gehört und dennoch vier Auftritte bei ihm für den letzten Abend des Jahres zugesagt. Oder vielleicht gerade deswegen. Ich wollte zum Jahresende selbst noch unterhalten werden, ich wollte ein Erlebnis. Marvin enttäuschte mich nicht und erwischte einen Traumstart.

»Herzlich willkommen. Ich möchte mich zu Beginn dieses Silvester-Abends erst einmal entschuldigen. Das was letztes Jahr passiert ist, wird nicht wieder vorkommen.« So gewinnt

---

[1] Name (leicht) geändert

man Vertrauen. Die Zuschauer waren sowieso schon auf 180 wegen der Büfett-Problematik.

Nun stand Marvin da in seinem obligatorischen Hut und Hawaii-Hemd, was ihn aussehen ließ wie den Bösewicht in einem Disney-Kinder-Film, very creepy. Fehlte nur der weiße Van. Zwar ist er ein netter Kerl, der eine große Leidenschaft für Comedy in sich trägt, aber er schafft es einfach, alle im Saal dazu zu bringen, sich unwohl zu fühlen. Den Frauen gegenüber macht er schlüpfrige Bemerkungen, die Männer beleidigt er wegen ihrer Jobs oder ihrer Kleidung – während er selbst morgens ausschläft und abends Hawaii-Hemden und Hut trägt. Hinzu kommt, dass er schlechte Gags abfeuert, kein Gefühl für Stimmung hat und den Saal atmosphärisch immer wieder auf minus fünf Grad herunterkühlt. Es gibt diesen wunderbaren Film »The Cooler« aus den frühen Nullerjahren, in dem der Protagonist ein von William H. Macy gespielter Pechvogel ist, der in einem Casino arbeitet. Sein Job ist es, Menschen Unglück zu bringen. Wenn jemand eine zu lange währende Glückssträhne hat, schickt die Casino-Leitung den Cooler an den Tisch. Er berührt den Tisch kurz und steckt somit alle dort Sitzenden mit seinem Pech an. Was der Cooler im Casino, ist Marvin im Comedy-Club. Ein Komiker kann den Laden zum Kochen bringen, Marvin schafft es als Moderator wieder, das Stimmungs-Kartenhaus einstürzen zu lassen. Sogar an Silvester.

Marvin fing nun an mit seinem Hobby, das er entgegen allen Hindernissen zum Beruf gemacht hatte: Fettnäpfchen-Zielspringen. Er erwischte sie alle. So sprach er zunächst voller Stolz das Veggie-Buffet an, über das er auch noch berichtete, wie günstig er es eingekauft hatte. Mein schottischer Freund Stewart hätte bei so viel Sparsamkeit seine helle Freude gehabt. Marvin redete en detail über das Geiz-Büfett, weiter und immer weiter. Die immer noch hungrigen Leute warteten auf die Pointe zu der Geschichte. Sie tun das bis heute.

Nun lief der Moderator zur Hochform auf. Er machte sich über jeden im Publikum der Reihe nach lustig. So etwas kann funktionieren. Tat es aber nicht. Als alle verärgert waren, ging Marvin in die Vollen. Und das schon um 20:10 Uhr. Er fragte, ob die Leute wissen wollten, wer der TV-bekannte Name ist, mit dem er geworben hatte. Ich befürchtete das nächste Debakel und wurde nicht enttäuscht. Schließlich ist der Wahnsinn Marvins treuester Begleiter. »Ja, verrate es uns«, war sich das Publikum einig. Er tat es, indem er sagte: »Lee Nelson. Den kennt ihr doch?« Lee Nelson ist eine Figur des Komikers Simon Brodkin, der zwar in England recht erfolgreich ist, aber kein unglaublich bekannter TV-Star. Als er Sepp Blatter einige Monate später bei einer FIFA-Pressekonferenz mit (übrigens echten) Geldscheinen bewarf, eroberte er das Internet innerhalb von Minuten, aber viele Menschen kennen dennoch seinen Namen nicht.

Als Moderator Marvin also fragte, ob die Menschen Lee Nelson kennen, waren die Antworten eine helle Freude.

»Lee … Nelson … Das ist doch dieser hochenergische verschwitzte Typ im Anzug.«

»Nein, das ist Lee Evans«, erwiderte Marvin.

»Ach so. Also ist das der Kerl aus Would I lie to you?«, rief jemand.

»Nein, das ist Lee Mack!«.

Das Publikum machte weiter: »Ah, du meinst den Glatzkopf!«

»Das ist Lee Hurst!«, rief der Moderator.

Die Zuschauer gaben auf. Marvin erklärte, welcher Lee heute Abend hier sein würde, und überzeugte den Saal mehr oder weniger erfolgreich von dessen Prominenz. Die Enttäuschung wurde geringer. Doch das wollte Marvin nicht auf sich sitzen lassen. Er holte zum nächsten Schlag aus. Er machte deutlich, wie unglaublich busy ein erfolgreicher Komiker wie Lee Nelson an Silvester ist. Er habe erst noch andere Auftritte. »Ich hoffe, es ist kein Problem. Aber Lee Nelson wird um circa 1:10 Uhr hier sein.«

Das war selbst für Marvins Verhältnisse ein neues Tief. Der Saal war erfüllt von einer magischen Mischung aus Entsetzen, Enttäuschung und sarkastischem Gelächter. Das konnte er doch nicht ernst meinen? Er konnte.

Ich stand mit offenem Mund am hinteren Ende des Saales und hörte in diesem Moment größter kollektiver Verstörung aus Marvins Mund die Worte: »Hier ist für Euch der erste Komiker des Abends, Christian Schulte-Loh.«

Ich ging ohne Applaus zur Bühne, hörte lediglich meine eigenen Schritte sowie die schneidende Stille der Enttäuschung. Alle wussten, dass sie hier dem schlimmsten Veranstalter der Welt aufgesessen und ausgeliefert waren. Und das am Silvesterabend in London. Da kann man nicht einfach Plan B bemühen und ohne Reservierung woanders hingehen. Der Plan A musste Plan A bleiben, es gab kein Entkommen, es fühlte sich an wie eine Geiselnahme. Und nun begann mein Auftritt. »Keine Sorge, Leute. Lee Nelson ist gleich hier. Nur noch fünf Stunden!«, waren meine ersten Worte. Marvin stand am Rand des Saals und lachte. Als Einziger.

Viel mehr Lacher kamen auch nicht hinzu. Denn das Publikum hasste Marvin, hasste die Show, hasste den Abend und hasste somit auch mich. Die Zuschauer unterscheiden natürlich generell nicht zwischen Moderator, Veranstalter und gebuchten Komikern. Genauso wie ein Bahn-Reisender den Schaffner anmault, wenn ihm etwas nicht passt, bekommt bei einer Comedy-Show jeder auf der Bühne den Unmut ab, wenn das Publikum sich abgezockt oder verraten fühlt. So auch hier.

Im Gegensatz zum Schaffner habe ich zwar zwanzig Minuten lang ein Mikrofon in der Hand und kann den Menschen die Lage erklären und sie im besten Falle überzeugen und zurückgewinnen.

Doch Marvin hatte ganze Arbeit geleistet, ich hatte keine Chance. Es war ein Debakel, der Zug war abgefahren. Nie zuvor und nie danach taten mir die Zuschauer, die vor mir saßen, leid. Die Armen.

Jetzt konnte uns nur noch ein durch die Pub-Wand krachender Mini retten. Doch der kam nicht.

In der Pause nach meinem Auftritt fragte ich Marvin, in welcher Reihenfolge ich nun zu den drei anderen Veranstaltungsorten gehen sollte. Schließlich war er der Veranstalter aller vier Shows. Er konnte Gott sei Dank nur eine von ihnen moderieren. Der schlimmste Gig sollte also aus dem Weg sein. Sollte er?

Bevor ich zum nächsten Venue gehen konnte, beeindruckte mich Marvin erst mal mit einer logistischen Meisterleistung: »Geh zu irgendeinem der drei Läden. Die Reihenfolge ist nicht wichtig.« Interessant. Es waren vier Komiker gebucht, die alle in jeder Show auftreten sollten – einige Stunden bevor dann Lee Evans, äh, Lee Nelson, auftreten würde. Nur, wie würden jetzt die Shows ablaufen, wenn alle Künstler auf gut Glück zu einem der vier Orte gingen? Ich entschied mich für einen der drei anderen Clubs und ging zügig hin. Als ich ankam sah ich die Moderatorin auf der Bühne, die gerade die Pause ankündigte. Neben der Bühne saßen drei weitere Komiker. Marvins Logistik war voll aufgegangen: Wir waren alle hier!

Als nun die Moderatorin von der Bühne kam, war das Gelächter groß. Wir steckten die Köpfe zusammen, übernahmen Marvins Job und machten in Windeseile einen Ablaufplan für alle vier Shows. Marvin hatte zwar die Abläufe und Zeiten der

Komiker nicht geplant, dafür waren die Veggie-Buffets perfekt synchronisiert. Bei allen vier Shows gab es exakt gleich viele Salat-Tüten, Möhren-Beutel und Hummus-Dip-Töpfchen. Auch die Enttäuschung darüber ähnelte sich in allen vier Sälen. Immerhin waren bei den drei anderen Shows vernünftige Moderatoren am Start, sodass der Büfett-Ärger dort nicht den ganzen Abend dominierte.

Der zweite und dritte Auftritt liefen gut. Der vierte Gig stand dann um kurz vor Mitternacht an. Ich sollte mit dem Publikum einen Countdown ins neue Jahr machen und im Anschluss die Sängerin anmoderieren, die dann um null Uhr Auld Lang Syne (»Nehmt Abschied, Brüder, ungewiss«) und andere traditionelle Lieder singen sollte. So weit so gut.

Marvin hatte sich mit der Sängerin und der Technik im Saal aber vorher ungefähr so gut abgestimmt, wie er dies modisch mit seinem Hawaii-Hemd und seinem Hut getan hatte. Die CD fürs Halbplayback konnte nicht abgespielt werden. Das neue Jahr begann also wie folgt: »...4...3... 2...1. Happy New Year! And here's some fantastic live music for you: (STILLE) ... (STILLE) ... (SÄNGERIN BEGINNT ZU WEINEN).«

Der Abend war somit eingerahmt von einem traurigen Veggie-Buffet und einer traurigen Soul-Sängerin. Marvin hatte wieder einmal ganze Arbeit geleistet.

Ich ging zur Bar, um mir ein Bier zu bestellen. Die Bedienung machte mir jedoch klar, dass von 23:45 bis 0:30 hier generell nicht bedient wird. Das sei an Silvester immer so. Hinter der Planung musste Marvin stecken. Cheers, mate!

Ich bekniete die Barkeeperin, buchstäblich. Nichts. Ich erzählte ihr vom desaströsen Abend. Nichts. Ich zeigte auf die verheulte Sängerin und dachte für einen Moment darüber nach, selber zu weinen. Nichts.

Sie gab der völlig fertigen Sängerin und mir dann mitleidig je ein Glas Leitungswasser. Wir standen nebeneinander, stießen mit verchlortem Londoner Wasser an und waren uns einig, im neuen Jahr wird alles besser. Für sie, für mich, für uns beide.

Nur für Lee Nelson nicht. Denn der hatte seine vier Auftritte in halbleeren Räumen voller wütender Zuschauer noch vor sich. Happy New Year!

DREI ZIMMER, KÜCHE, SCHULDENFALLE

– Der britische Immobilientraum: eine Klasse für sich –

Nach meinen anfänglichen Couchsurfing-Wochen ließ ich mich recht bald in einer wunderbaren WG samt Garten nieder und habe mich seitdem nicht mehr aktiv mit dem Immobilienmarkt der Hauptstadt befasst. Was in dieser Stadt eigentlich unmöglich ist, dreht sich schließlich alles immer nur um eines: Immobilien, Immobilien, Immobilien. Diese Obsession macht selbst vor Garagen nicht halt. Eigentlich sollte ein Auto um ein Vielfaches teurer sein als seine Behausung. Ist die Garage jedoch teurer als das Auto, handelt es sich beim Wagen meistens um eine Rostlaube, die man auch – wesentlich billiger – draußen abstellen könnte. Daher die Regel: Auto immer teurer als Stellplatz.

Doch das wird zum Problem, lebt der Autobesitzer im reichen Londoner Westen, zum Beispiel in Chelsea, das ich als mittelloser Couchsurfer zu Beginn ja auch mal bevölkert habe. Dort wurde kürzlich eine Garage in bester Lage versteigert, der Zuschlag erfolgte bei 360 000 Pfund. Das sind ziemlich genau 425 000 Euro – für eine Garage! Ein Schnäppchen.

Das Bernsteinzimmer hätte sicher keinen höheren Quadratmeterpreis. Der Ersteigerer hat beim Autokauf also nicht mehr viele Optionen, will er ein Fahrzeug kaufen, das teurer ist als die neu erworbene Bernsteingarage. Wenn ein fabrikneuer Lamborghini nur halb so viel wert ist wie seine Behausung, dann hat hier irgendjemand ein sehr schlechtes Geschäft gemacht – und gleichzeitig jemand anderes ein sehr gutes. So funktioniert Kapitalismus: des einen Gewinn ist des anderen Verlust. Nur wenn beide steinreich sind und Geld keine Rolle mehr spielt, gibt es keine Verlierer. In dem Falle schlafen dann auch beide Parteien besser: der Käufer, weil sein Auto sicher steht, und der mit Garagen handelnde Immobilien-Makler, weil er sich allabendlich selig auf die Kontoauszüge blickend in den Schlaf lacht. Ein schlechtes Gewissen würde nur von der gesunden Nachtruhe abhalten, und so wirkt selbst der härteste Immobilien-Abzocker des Nachts friedlich wie ein Kuscheltier.

Die meisten Menschen fürchten sich vor Übergriffen des weißen Hais. Viel realer ist jedoch die Gefahr, die von Immobilien-Haien ausgeht – und zwar nicht nur in Küstennähe.

Der Immobilienhai hält sich vor allem in städtischen Gebieten auf, tarnt sich als freundlicher Helfer oder Vermittler und gewinnt somit schnell das Vertrauen der Beute. Hat er das Opfer einmal in seine Falle gelockt, schlägt er gnadenlos zu: Gemeinsam mit dem artverwandten Bank-Hai nutzt er folgende lebensgefährdende und lähmende Waffen: Kredit, Hypothek und Schuldenfalle.

Das Opfer wird dabei sozial isoliert, unter Druck gesetzt und gefügig gemacht. Eine todsichere Methode, die an Brutalität im gesamten Tierreich ihresgleichen sucht. Der Raubfisch ernährt sich dabei hauptsächlich von Träumen und Hoffnungen, eine niemals versiegende Nahrungsquelle.

Die weltweit größte Population an Bank- und Kredithaien gibt es mittlerweile am seichten Themse-Ufer. Bis der Brexit sie wohl in Kürze aufs europäische Festland schwemmen wird, tummeln sie sich noch in der Londoner City. Nirgendwo toben sich die Tiere so gerne und heftig aus wie hier, the sky is the limit.

Und somit wird der Hai bisweilen sogar flugfähig, es entsteht der Immobilien-Sharknado.

Wie schütze ich mich als Bewohner Londons nun vor den Attacken der fliegenden Immobilien-Haie? Ganz einfach, nämlich gar nicht. Denn der Wille, sich dem Tier auszuliefern, ist tief verankert in der Kultur der britischen Inseln – ein wesentlicher Unterschied zur deutschen Wohnwelt, dem man sich im alltäglichen Leben nicht entziehen kann.

Den Unterschied zwischen zwei Kulturen bemerkt man nicht nur an den Schlagzeilen in der Zeitung, sondern vor allem bei den Small-Talk-Themen im Alltag. Abgesehen vom Wetter und der Gesundheit der Familie landen die meisten Gespräche weltweit schnell bei den Dingen, die die Menschen tatsächlich bewegen. So ist das dominierende Thema bei Londoner Dinner-Partys eindeutig das Immobiliengeschäft, der Housing Market. Es gleicht einer Obsession, jeder will mitreden, jeder will Wohneigentum, und jeder ist damit einverstanden, dafür einen gewaltigen Kredit bei der Bank aufzunehmen. Hauptsache man ist auf der *Property Ladder*. Alle sind sich sicher: Wer einmal auf der Leiter der Besitzenden ist, steigt nur noch auf, nie wieder abwärts. Auf der Einbahnleiter gilt: The only way is up. Der gesamte Markt wird immer teurer, es ist eine todsichere Wette. Man hat dabei das Jahr 2008 schon wieder vergessen. Damals wurde die Leiter, vor allem in Amerika, zur rutschigen Feuerwehrstange. The only way was down! Aber so etwas wird sich schon nicht wiederholen, also setzen wieder alle auf die Immobilie. Man beherzigt das Casino-Motto: Das Haus gewinnt immer.

Ob damit das eigene Haus gemeint ist oder das Bankhaus – geschenkt.

Nun ist das als Deutscher nicht so einfach zu verstehen. Deutschland hat eine unglaublich hohe Mietquote im Vergleich zu anderen reichen Volkswirtschaften, allen voran Großbritannien. In England will man besitzen, bei uns lieber mieten. Ich erkläre es in meinem Programm den Engländern damit, dass wir Deutschen ein Volk von Skeptikern sind: »You never know, there might be another war, everything gone again ... We don't trust the system.«

In dem Gag liegt mehr Wahrheit, als viele denken. In Deutschland haben ja in der Tat viele Menschen schon (teilweise mehrfach) ihre gesamte Habe verloren. Kriege, Enteignungen, Staatssystemwechsel, die Liste der erlebten Verlust-Szenarien ist lang. Das ist in England in den vergangenen hundert Jahren nicht vorgekommen. Und weil auf der Insel niemand den Eigentumsverlust erlebt hat, rechnet auch in Zukunft keiner damit. Es gilt: Immobilien sind in Großbritannien ein garantierter Besitz, null Risiko.

Viele meiner englischen Freunde wollen Wohneigentum auch, um damit in Gesellschaft ein wenig beeindrucken zu können: Mieten ist Arbeiterklasse, wer besitzt, gehört zur Mittelklasse.

Und dafür verschuldet man sich gerne. Ich ziehe sie gerne damit auf und frage: »Warum mietet ihr nicht einfach das Haus – und tut so, als würde es euch gehören? Es kontrolliert doch eh keiner.« Ich empfehle ihnen, bei der nächsten Dinnerparty im stolz präsentierten Wohneigentum Zweifel am Besitz der Freunde anzumelden: Und das gehört wirklich euch? »I don't believe you. I wanna see some paperwork.«

Da sieht man, wie lächerlich Wohneigentum eigentlich ist. Der einzige Mehrwert, den man dem Mieter wirklich voraus hat, ist ein Stück Papier. Und einen Haufen Schulden, die ja wiederum ebenfalls nur auf dem Papier stehen. Im Prinzip muss ich mich als Mitglied unserer Gesellschaft ja nur entscheiden: Was für ein Stück Papier will ich, einen Mietvertrag oder einen Hypothekenbrief?

Und da unterscheiden sich eben die deutsche und die englische Zettel-Wirtschaft: Mietvertrag hier, Hypothekenbrief dort. Dementsprechend wird in verschiedenen Bereichen gejammert. Während es auf der Insel um mögliche Obergrenzen beim Hauspreiswachstum geht, dreht sich die Diskussion in Deutschland um die Mietpreisbremse. Jedem sein Papierkrieg.

Schaut man sich das nachmittägliche Fernsehprogramm beider Länder an, wird der Eindruck noch verhärtet. In Deutschland laufen »Dokumentationen« über Mietnomaden, Messi-Mieter und übergewichtige Raumgestalter (= Raumausfüller). Zur selben Zeit zeigt das britische Daytime-TV Shows, in denen es um den Kauf eines Landhauses geht: »Escape to the country« heißt eine der populärsten Sendungen. Darin geht es um den klassischen britischen Immobilientraum.

Dieser verläuft in drei Schritten:

1. Schritt:

Ein junger Mensch mit geringem Einkommen kauft sich ein Reihenhaus (Terraced House) in einem Stadtteil, der in der Maklersprache »up and coming« ist, also schlimm. So ist die Immobilie aber erschwinglich und hat (wiederum in der Maklersprache) »gigantisches Wachstumspotenzial«, was ebenfalls bedeutet: Die Gegend ist schlimm.

Der Käufer verdient pro Jahr 40 000 Pfund (brutto), das Haus kostet das Zehnfache (leider netto). Es muss also ein Kredit her. So verpflichtet sich der Käufer, circa 30 Jahre lang, Sklave des Geldhauses zu sein. Aber immerhin ein »up and coming«-Sklave.

Das Haus soll vier Schlafzimmer haben, Größe egal. Quadratmeter, Quadratfuß, das versteht sowieso niemand, stattdessen entscheidet man sich also für Quadratschulden.

Und um den Kredit zu bedienen, reicht das Arbeitseinkommen natürlich vorne und hinten nicht aus – vor allem im teuren London, wo auf dem Weg zur Arbeit für den täglichen Kaffee im Pappbecher schon drei Pfund anfallen, was sich pro Jahr auf mehr als 1000 Pfund summiert. Es muss also eine weitere Einnahmequelle her.

Und so kommt nun in jedes der vier Schlafzimmer des neu erworbenen Hauses ein Untermieter (Tenant): ein italienischer Student, ein pakistanischer Programmierer, ein deutscher Komiker und ein Fabrikarbeiter aus dem Norden.

Damit wird der soeben erworbene Traum von den eigenen vier Wänden zum Albtraum von den vier Fremden. Selbst das wird in Kauf genommen – der Obsession mit der Property Ladder sei Dank. Jetzt ist man endlich auf der Leiter, ist also selber up and coming. Finally!

2. Schritt:

Irgendwann will der Käufer nun eine Familie gründen. Die Freundin zieht ein und wird schwanger. Alle Beteiligten hoffen nun ganz nebenbei, dass der Eigentümer des Hauses wirklich der Vater des Babys ist – und nicht einer der Untermieter.

Das Baby wird geboren, und die glücklichen Eltern entscheiden sich, die Untermieteranzahl nach und nach zurückzufahren. Man entscheidet sich für Privatsphäre und gegen eine große Babysitter-Auswahl.

Nebenbei werden die Raten der Hypothek abgestottert – was natürlich jetzt länger dauert, da die Einnahmen geschrumpft und die Kosten gestiegen sind (vor allem glutenfrei ernährte Großstadt-Babys sind teuer). Der Lebensstandard wird nun massiv heruntergefahren, schließlich gilt es das Haus abzubezahlen. Die Gegend ist übrigens inzwischen keinen Deut besser geworden, die Immobilienpreise sind dennoch gestiegen. Warum, weiß keiner – ist ja auch egal.

3. Schritt:

Nachdem das Paar nun aus Sparzwang kaum noch das Haus verlässt und somit mehr und mehr fernsieht, ist es ein großer Fan der Sendung »Escape to the Country« geworden. So ein Haus auf dem Land, das wäre es doch.

Das Land ist nämlich nicht mehr »up and coming«, sondern jetzt schon toll. Und auch für den (mittlerweile neun Jahre alten) Sohn ist so etwas doch viel besser. Außerdem kosten die Häuser dort nur ein Viertel, der Plan zum Umzug wird also gefasst.

Der bekannte Immobilien-Hai beißt an, das Haus kommt

auf den Markt, und der Hai organisiert einen »Deal, bei dem alle gewinnen«.

In der Anzeige steht, dass die Gegend total »up and coming« sei und dass man einfach zuschlagen müsse. Der Makler verkauft dasselbe Haus zum zweiten Mal, die Familie macht etwas Gewinn und zieht aufs Land.

Der Käufer des Hauses ist der ehemalige pakistanische Untermieter, der froh ist, endlich auf der Property Ladder angekommen zu sein. Vor allem in dieser besonderen Gegend, die ja so unglaublich up and coming...

Die Spirale ist endlos und kennt nur Verlierer. Sieht man vom Immobilienhai ab. Dieser schüttelt gelegentlich an der Property Ladder, fängt die herunterfallenden Taler auf und baut damit seinen goldenen Haikäfig aus. Der natürlich in einer Gegend steht, die unglaubliches Investment-Potenzial bietet. Er macht da sicher gerne ein Angebot...

Was ist nun aus unserer kleinen fiktiven Beispielfamilie geworden?

Die Eltern haben ausgerechnet, dass es viel besser gewesen wäre, gleich ein Haus auf dem Land zu kaufen. Das Haus in London, samt Schulden und all den Jahren, in denen man sich mit nervigen Untermietern herumgeärgert hat, war einfach ein anstrengendes Kapitel. Aber so machen es eben alle.

Der Sohn wird in ein paar Jahren studieren, wahrscheinlich in London. Dort werden die Eltern ihm dann den Kauf einer Wohnung nahelegen. Schließlich soll er so schnell wie möglich auf der Leiter stehen. Sie selber haben's vorgemacht.

Man hat da auch schon einen Stadtteil im Sinn...

Es ist frustrierend zu sehen, dass so viele dieses Spiel mitmachen. Und alle glauben dabei, den nächsten total angesagten Stadtteil zu kennen – jeder versucht die Zeichen zu lesen.

Steige ich in London an einer beliebigen Haltestelle aus der U-Bahn oder dem Bus aus, kann ich tatsächlich anhand der Geschäfte auf der Straße sagen, wie es um die jeweilige Gegend bestellt ist.

Anhand des Verteilungsverhältnisses folgender Geschäfte und Lokalitäten lässt sich ein demografisches und finanzielles Profil des Viertels erstellen:

Chicken Shops, Betting Shops, Estate Agents, Supermärkte, Cafés (also »Greasy Spoons«) und Pubs.

Je mehr Hähnchenbuden und Wettbüros, umso arbeiterklassiger (»up and coming«) das Viertel. Je mehr Immobilienmakler, umso mittelklassiger. Bei den Supermärkten wird es komplizierter, denn ein Besuch dort ist in England viel mehr als ein Einkauf. Es steckt ein Klassen-Statement dahinter: Arme Menschen gehen zu Iceland, wer sich für Iceland zu schade ist, geht zu Tesco. Auf Tesco-Käufer blicken dann Sainsbury's-Kunden milde lächelnd herab. Diese wiederum werden von der vermeintlichen Elite der Supermarktbesucher als unterklassig und stillos eingeordnet: denn M&S-Kunden gönnen sich was. Und dann gibt es da noch Waitrose, das Supermarkt-Statement der wohlhabenden Mitttelklasse, keiner kauft besser ein.

LIDL und ALDI sind vor einigen Jahren neu hinzugekommen und haben sich als preiswerte Tesco- und Sainsbury's-Alternativen irgendwo in der unteren Mitte eingeordnet. Begrenzt wird das Klassenspektrum aber eindeutig am unteren Ende von Iceland und oben von Waitrose.

Ich habe Freunde, die selbst für einen Liter Milch nicht zum nahe gelegenen Tesco gehen würden – aus Klasse-Gründen. Was sollen denn die Leute denken? Stattdessen wird die 15-minütige Fahrt zum vermeintlich höherklassigen Waitrose in Kauf genommen.

Mein Supermarkt ist ein Tesco, in nur 200 Metern Entfernung. Da ich mir generell aus dem Klassensystem nichts mache und mich weder zur Arbeiter- noch zur Mittelklasse gehörig fühle, ist der nächstliegende Supermarkt für mich automatisch immer der beste.

Mittelklasse? Arbeiterklasse? Ich entscheide mich für die Faulheitsklasse – da zählt jeder Meter. Vor allem, wenn ich nur mal schnell ein paar Kleinigkeiten brauche.

Nun sah ich eines Abends an der Tesco-Kasse plötzlich meine Nachbarin stehen, mit Mütze und Sonnenbrille. Inkognito!

Ausgerechnet sie, die sich demonstrativ als stolzes Mitglied der Mittelklasse gibt, hatte ich nun beim Arbeiterklasse-Einkauf erwischt. Ich traute meinen Augen kaum, als sie die Waren in ihre mitgebrachten Tragetaschen packte. Auf den Tüten prangte das überdimensionierte Logo:

Waitrose.

Man muss eben sehen, wie man in einer so teuren Stadt den Schein wahrt. Das Leben ist teuer in London, für jeden. Besonders gemolken werden aber Touristen. So kostet der Besuch in St. Paul's Cathedral einen zweistelligen Pfundbetrag – der übrigens nicht mit der Kirchensteuer verrechenbar ist. Die hohen Eintrittspreise bei den Touristen-Attraktionen kann ich mir auch wiederum nur mit der Property Ladder erklären: Sicher ist beim Tower of London und bei St. Paul's einfach noch nicht die Hypothek abgestottert. Und zur Refinanzierung hat man sich statt für Untermieter eben für die touristische Erschließung entschieden.

Es geht also viel um Geld und Besitz in London – so weit, so normal für eine Hauptstadt. Nur ist es in Großbritannien aufgrund der dem Land eigenen Gesellschaftsstruktur noch extremer als woanders. Ob nun Supermärkte, Stadtteile oder

Garagenpreise, in England ist das Klassensystem allgegenwärtig. Die Arbeiterklasse, die Mittelklasse und die von Old Money geprägte, tontaubenschießende Oberklasse spalten die Gesellschaft massiv. Doch es gibt Situationen und Lokalitäten, in denen diese Grenzen aufgehoben werden: im Pub, in der Liebe, im Fußballstadion oder eben im Comedy-Club.

Da vergisst dann jede Klasse sich selbst und die Probleme des Alltags, die Hypotheken, den Liebeskummer oder die Rückenschmerzen. Beim Feiern, Entspannen und Lachen sind wir alle gleich.

Das ist weltweit so, unabhängig von Geschlecht, Religion, Hautfarbe, Klasse oder Geldbeutel. Und da ist es dann auch egal, wer von den Zuschauern nach der Show in ein gemietetes, wer in ein untervermietetes, ein gekauftes oder ein besetztes Haus heimgeht.

Vielleicht abgesehen vom Immobilien-Hai – den soll bitte die harte Kante der Property Ladder treffen.

JEHOVA, JEHOVA! PALIM, PALIM!

– Britischer und deutscher Humor –

Kommt ein Mann zum Arzt«, so fängt in Deutschland ein Witz an. »A man walks into a bar«, beginnt hingegen ein typischer Witz in England. An diesen beiden Einstiegen wird der Unterschied zwischen den Humorkulturen schon deutlich.

Was ist in einer Gesellschaft wichtig? Betrachten wir den Humor und die Schimpfwörter eines Landes, zeigen sich dessen wirklich relevante Themen. So wird beim Fluchen immer auf das größte gesellschaftliche Tabu gezielt: in Italien ist das die Religion, auf dem Balkan die Familie, in den USA der Sex, in Deutschland die Toiletten-Hygiene. Das ist im Humor nicht anders. Da zielt der Standard-Witz traditionell auf tief verankerte kulturelle Werte und Gewohnheiten ab. Der Engländer geht eben gerne in den Pub, der Deutsche zum Arzt. Der Unterschied liegt auf der Hand: In der Kneipe geht es lustig zu, beim Doktor eher nicht. Liegt darin vielleicht schon der Grund, warum uns Deutschen nachgesagt wird, keinen Humor zu haben, während die Engländer als gewitzt gelten?

Die Gründe sind vielfältig. Als ich mich kürzlich mit meiner imaginären Lieblingsmanagerin Christine Cole über die Unterschiede zwischen Deutschen und Engländern unterhielt, sagte sie: »Germans are too honest to be polite. Brits are too polite to be honest.«

So einfach kann die Erklärung sein. Geht man dem Ganzen humoristisch auf den Grund, wird klar, Ehrlichkeit ist einfach nicht so lustig wie vorgespielte Höflichkeit. Ein Beispiel: Ich habe in einem Restaurant in Deutschland einen Gast am Nachbartisch sitzen sehen, der das Besteck vermisste. »Entschuldigung, Sie haben das Besteck vergessen«, sagte er zum Kellner. Das ist präzise, korrekt und ehrlich – aber leider nicht lustig.

Wie reagiert nun ein Engländer in eben dieser Situation: »No problem. I look forward to eating this with my hands.« Das ist natürlich nicht ehrlich, aber dafür lustig.

Vor allem, wenn der Kellner dann erwidert: »Great. In that case we're saving some space in the dishwasher, too.«

Höflichkeit erzeugt oft unterschwellig-aggressiven Witz, der durch Ehrlichkeit nie zustande gekommen wäre. Es gibt kaum etwas Lustigeres als jemanden, der innerlich brodelt, aber äußerlich höflich zu bleiben versucht. Ein Anblick, der in England an der Tagesordnung ist.

»Sarcasm« nennt es der Engländer, wenn jemand das Gegenteil von dem sagt, was er meint. Wir in Deutschland sagen dazu, etwas ist ironisch gemeint. »Irony« ist im englischen Sprachraum dagegen etwas anderes. So ist es zum Beispiel »ironic«, wenn jemand aus Protest Eier auf eine Abtreibungsklinik wirft. Ein schöner Gag meines Kollegen Ben Crellin.

Wenn der Brite von »Sarcasm« spricht, meint er also etwas viel Alltagstauglicheres als den deutschen Sarkasmus, der ja eher mit Spott gleichgesetzt wird. Im Prinzip ist der englische »Sarcasm« eine wunderbar etablierte Form, mit kleinen Rückschlägen und Problemen umzugehen. Indem man negative Ereignisse vermeintlich positiv kommentiert, wirken sie sich einfach nicht so verletzend oder belastend auf einen aus. »Nice one, mate!«

Wir Deutschen pflegen zwar den Sarkasmus nicht so stark, haben aber in anderen Humorbereichen unsere Stärke – und sogar eigene Begrifflichkeiten dafür.

Direkt nach »Bratkartoffelverhältnis« ist »Galgenhumor« mein deutsches Lieblingswort. Ein wunderbarer Begriff, der die Fähigkeit zum Witz in einer ausweglosen Situation beschreibt. In diesem Wort steckt wieder ein Charakterzug der deutschen Humor-Seele. So setzen wir auf den Witz, wenn alle andere Waffen versagt haben, wenn also die typisch deutschen Ansätze Logik, Vernunft, Eifer und Korrektheit keinen Erfolg mehr versprechen. Der Kampf ist verloren, es geht zum Schafott. Hier nun laufen wir humoristisch zu Höchstform auf und machen uns lustig – natürlich über uns selbst. Denn Galgenhumor ist Humor über die eigene missliche Lage.

Niemand ist so lustig wie der Todgeweihte. Wer eine Krebsdiagnose bekommt, darf sich über seine Lage lustig machen. Das Opfer darf den Witz auf eigene Kosten machen, die Opferrolle legitimiert dazu. Daher ist Galgenhumor eigentlich »Sarcasm« der höchsten Stufe.

Nicht umsonst ist der jüdische Witz so berühmt. Ein Volk, das seit Jahrhunderten verfolgt wird, kann die eigene Lage und viel erlittenes Leid nur durch einen ausgeprägten Humor ertragen. Wer leidet, lacht leichter.

Vielleicht leiden wir Deutschen einfach nicht oft genug. Ein reiches Land, mit einer nicht allzu weit zurückliegenden und im Einzelfall oft nicht aufgeklärten Tätervergangenheit, tut sich schwerer damit, einen Witz oder Humor zu entwickeln, als eine kleinere Nation, ein ärmeres Land, ein Opfer, ein Loser oder ein Unbeachteter.

Georg Christoph Lichtenberg schrieb: »Der Esel ist das

Pferd ins Niederländische übersetzt«. Will sagen, Deutschland sieht sich selbst als Pferd und den kleineren Nachbarn Holland als Esel. Das gilt für die USA und Kanada genauso wie für Europa und England. Aus einem Minderwertigkeitskomplex – der ja oft von außen erzeugt wird – entsteht die Rolle des Humoristen. Viele Komiker wurden als Kind gehänselt, nicht beachtet oder mussten sich als kleinstes Geschwister durchsetzen, entstammen also der klassischen Position des Underdogs. Wer physisch keine Antwort findet, muss sie intellektuell finden – und dazu gehört der Witz.

Und aus der Lage entsteht einer der britischsten aller Humoransätze: »self-deprecating humour«, auf Deutsch nur unzureichend übersetzt mit: selbstironischem Witz. Eine treffendere Übersetzung wäre: selbst-herabwürdigend. Denn es geht darum, sich kleiner zu machen, als man ist, seinen eigenen Status zu verringern. In der englischen Kultur ist es verpönt, sich selbst zu loben, im Gegensatz zu Hollywood, wo der Protagonist fast immer ein Held ist, eine Person von hohem Status. Auch deswegen wirkt Woody Allen so unamerikanisch, eher britisch. Denn im englischen Film ist der Protagonist eher ein Underdog, ein Arbeiterklassen-Held, ein vom Leben gezeichneter Verlierer. Selbst Daniel Craigs 007-Interpretation stellt den Alleskönner James Bond als makelbehaftetes Wrack vor. How very British.

James Bond ist übrigens ein alter keltischer Name und bedeutet irgendwas mit Schütteln.

Beim Betrachten einer Comedy-Club-Show in England fällt auf, dass die meisten Komiker neben einem Bauch- auch einen inhaltlichen Ansatz haben, der sie selbst kleiner macht, als sie sind. Der Grund ist einfach: In einer Comedy-Show ist der Status wichtig. Im Publikum sitzen viele Menschen aus der Arbeiterklasse, aus der die Stand-up-Comedy damals erwachsen ist.

Nun steht der Komiker auf der Bühne und bekommt die Aufmerksamkeit des gesamten Saales. Der Comedian hat also einen hohen Status und wirkt auf die anderen Männer im Saal als Bedrohung. Ein Ur-Instinkt, jeder will das Alpha-Tier sein und fühlt sich (und seine Partnerin) vom ranghöheren Männchen bedroht. Das löst einen Beißreflex aus, der sich im Comedy-Club durch Zwischenrufe, Buh-Rufe oder Nachhausegehen äußert. Auf die Frauen wirkt ein Mann natürlich auch bedrohlich, per se. Im Prinzip stellt der Komiker beim Betreten der Bühne also eine Bedrohung für alle dar. Es sei denn, der Künstler ist schon rein optisch völlig unbedrohlich. Daher verstecken sich in der klassischen Sketch-Comedy viele gutaussehende Komiker hinter einer dicken Brille, falschen Zähnen und schmierigen Haaren. Das verringert den Status und signalisiert: keine Gefahr!

Das Publikum lacht lieber über einen Loser als über einen Sieger, da der Loser dem Betrachter ein höheres eigenes Selbstwertgefühl verschafft, einen höheren Status. Es ist eben alles relativ.

Will ein Komiker optisch nicht nachhelfen, bleiben zur Status-Verringerung nur die gesprochenen Worte. Da beginnt der self-deprecating humour. In der Mehrzahl der Fälle geht der erste Witz des Komikers auf die eigenen Kosten und verringert dadurch das gefühlte Gefahrenpotenzial dem Publikum gegenüber. Wer sich selbst erniedrigt, stellt keine Bedrohung mehr dar.

Ich eröffne mein Set in der Regel mit gleich drei aufeinanderfolgenden Selbstattacken: Zunächst kommt ein Gag über meine Größe, gefolgt von: »I'm part of a rare species: I'm a German comedian«, was zeigt, dass ich anerkenne, dass wir Deutschen humoristisch minderwertig sind. Dann folgt ein weiterer Kleinmacher, indem ich meine Ähnlichkeit mit Shaggy von Scooby-Doo herausstelle. Zusammengefasst mache ich mich in den ersten drei Sätzen also zum Lulatsch, der aus einer humorlosen Kultur kommt und aussieht wie eine Comic-Figur. Das setzt meinen Rang innerhalb des Raumes auf ein Null-Niveau. In dem Moment bin ich dann in etwa so bedrohlich wie der Kartenabreißer. Wobei die teilweise recht Angst einflößend aussehen...

Jetzt kommt das größte Dilemma ins Spiel. Als Comedian muss ich mich zwar zur Nicht-Bedrohung erniedrigen, muss aber dennoch einen besonderen Status aufrechterhalten, um mir die ungeteilte Aufmerksamkeit des Saales zu sichern. Wenn ein Komiker strauchelt, nervös wird, nicht souverän wirkt, merkt das Publikum das umgehend. Wie ein Hund, der es riecht, wenn sein menschliches Gegenüber Angst hat. Kleinste unterschwellige Signale reichen da aus.

Das Publikum muss denken: Der Typ dort auf der Bühne ist ein Profi, er ist lustig und sympathisch, aber eben keine Bedrohung. Es ist ein Kampf an zwei Fronten.

Wenn ich einen Newcomer kennenlerne, interessiert mich besonders sein Eröffnungsgag. Der sagt viel aus über den Ansatz und das Comedy-Verständnis der Person. In unserer Szene herrscht eine große Vorliebe und Anerkennung für gute Eröffnungsgags. Ein paar Beispiele:

Andy Askins: »Good evening. I know, that I have absolutely no charisma.«

Michael Redmond (buschiger Bart, wilde Haare, langer Trench-Coat): »A lot of people say to me. (Pause) Get out of my garden!«

Stewart Francis: »My name is Stewart Francis. And don't worry, I haven't heard of you either.«

Dieser selbsterniedrigende Humor ist in Deutschland nicht so verbreitet. Auch hier ist es natürlich wichtig, sich selbst kleiner zu machen und sein Bedrohungspotenzial zu verringern. Aber geht man zu hart mit sich ins Gericht, bekommt das Publikum Mitleid und fängt an, die Aussagen ernst zu nehmen. Deutsche Zuschauer nehmen den Komiker eher beim Wort.

Wobei wir bei einem Hauptunterschied zwischen der deutschen und der britischen Humorkultur angekommen sind: die Wichtigkeit der Wahrheit.

So glaubt ein deutsches Publikum häufig die Geschichten, das englische Publikum hingegen erfreut sich an gut geschriebenem Material, ohne es auf Wahrhaftigkeit abzuklopfen. In Deutschland kommen Zuschauer nach den Auftritten auf mich zu und fragen: Ist das wirklich so passiert?

In England ist es den Zuschauern nicht wichtig, ob etwas wirklich so passiert ist. Sie verfallen sogar ins andere Extrem. »So where are you REALLY from?«, fragen mich Zuschauer nach der Show. Sie glauben mir nicht mal, dass ich Deutscher bin.

Ich sage ihnen dann, sie sollen meine völlig reale Managerin Christine fragen.

Diese beiden unterschiedlichen Herangehensweisen des Publikums spiegeln sich selbstverständlich im Material der Komiker wider. In England gibt es mehr konstruierte, teilweise surreale Comedy. Gags, die so in der Realität nie passieren könnten. Geschichten, die zwar wunderbar geschrieben, aber nicht erfahrungstauglich sind. Das gibt einem als Künstler manchmal mehr Freiheiten.

Ich merke es immer wieder, wenn ich versuche mein Material zu übersetzen und in der jeweils anderen Sprache zu nutzen. Das geht oft nicht, da der Comedy-Ansatz ein anderer ist. Nicht nur was die Themen angeht, sondern natürlich auch, was die Humorkultur betrifft.

Erzählt man in England auf der Bühne, dass man sich gerade ein U-Boot gekauft hat, steigt das Publikum mit einem Lacher in die Geschichte ein. Erzählt man dieselbe Geschichte in Deutschland, spürt man eher Skepsis und Unglaube im Publikum.

Selbiges gilt für die Antworten, die mir die Zuschauer in der ersten Reihe geben, wenn ich sie beispielsweise nach ihrem Job frage. In Deutschland kommen dann die korrekten Antworten: Sachbearbeiter, Arzthelferin oder Ingenieur. In England geht dem Publikum in so einem Moment Witz vor Ehrlichkeit: »Ich rette Seehundbabys« oder »Ich bin Hubschrauberpilot für den Sultan von Brunei«. Sehr gerne gibt es auch Repliken, die garniert sind mit einem kleinen Nadelstich gegen mich: »Ich bin nebenberuflich Komiker. Und genau das solltest du besser auch machen.«

Unterschiede im Humor zweier Länder zeigen sich auch bei einem der beliebtesten Comedy-Themen: den Tabus.

Die Engländer denken nach wie vor, dass in Deutschland der Zweite Weltkrieg ein Tabu ist (»Don't mention the war!«), was natürlich Unsinn ist. Spätestens seit Olli Dittrich in den 90er-Jahren bei RTL Samstag Nacht Hitler gespielt hat, sind Führer-Parodien und Nazi-Witze Teil der deutschen Comedy-Szene – beziehungsweise schon wieder passé.

Gibt es also überhaupt noch Tabu-Themen?

Vielleicht muss ein anderer Ansatz her: Untersuchen wir die Sprache – mit einer kleinen Zeitreise.

Als kleiner Junge wollte ich entweder Komiker oder Ritter werden, was Bodenständiges eben. Feuerwehrmann oder Büroangestellter waren mir zu unrealistisch. Jetzt bin ich also Komiker, und das in einem Land, in dem tatsächlich noch die Möglichkeit besteht, Ritter zu werden. Comedy-Ritter, das wäre die Erfüllung all meiner Kindheitsträume.

Wer in Großbritannien zum Knight geschlagen wird, darf sich Sir beziehungsweise *Dame* nennen. Diese Ehre wird aber nur Briten zuteil. Ein Ausländer kann zwar auch Ritter werden, darf sich dann aber, ähnlich dem Ehrendoktor, nur in beschränktem Ruhme sonnen: als Ritterchen. Was mir vollkommen reichen würde.

Doch der schönste Ritterschlag findet nicht beim Menschen statt, sondern bei Wörtern. Wenn in England ein Wort so verpönt ist, dass man es nicht aussprechen darf, bekommt es den gesellschaftlichen Ritterschlag und somit das Privileg, einen ganzen Buchstaben für sich zu reklamieren. So gibt es das wohlbekannte »F-Word«(F★★k), das noch schlimmere»C-Word«(C★nt)unddasrassistische»N-Word«(Ni★★er). Das »R-Word« (R★★arded) kommt als weiteres Tabu hinzu. Denn Behinderte werden politisch korrekt natürlich als »special needs people« bezeichnet.

Bisweilen treibt die politische Korrektheit – auch hier wieder eine schöne Abkürzung: PC für Political Correctness – aber opulente Blüten. So ist für kleinwüchsige Menschen nicht mehr der Begriff»Midget« zu benutzen, er wird zum M-Word. Stattdessen wird »Short Person« gesagt, oder noch besser: »Vertically Challenged Person«. Auf den Zug springe ich vom anderen Ende auf. Ich bin zwei Meter groß und werde mich in Zukunft ebenfalls als vertically challenged bezeichnen lassen. Wenn mich alle »vertikal herausgefordert« nennen, vermeiden wir nebenbei gemeinsam das G-Word für »Giant«.

Wem ein Buchstabe nicht reicht, der kann sich am neu etablierten Begriff für »gay« erfreuen: »Lesbian, Gay, Bisexual, Tansgender«, oder kurz: das »LGBT-Word«. Langweilige Gesellschaftsverbesserer brauchen Tabus.

Zwar gibt es in England viele Wörter, die in bestimmten sozialen Situationen ein No-Go sind. Doch gilt diese Liste generell nicht für auswärtige Kulturen und Sprachen.

Als ich das erste Mal mit dem H-Wort konfrontiert wurde, war ich schockiert. Eigentlich sollte ich schreiben: das Doppel-H-Wort. Ich stand auf der Bühne einer englischen Kleinstadt in Essex und hatte gerade erwähnt, dass ich Deutscher bin. Da hob ein Betrunkener in der ersten Reihe den rechten Arm und rief »Heil Hitler!«. Wenige lachten, die Mehrheit war peinlich berührt. Denn der Betrunkene strahlte optisch und modisch weder subtilen intellektuellen Tiefgang noch feinen Witz aus. Ich machte ein paar Gags über ihn und entschärfte die Situation. Es sollte mir nachher noch zig Mal passieren. In England sind es in der Regel betrunkene Zuschauer, die es als Scherz meinen. Doch das ist nicht überall so. Als ich in Buenos Aires auftrat, fuhr ich am ersten Tag in einem Taxi. Der Fahrer fragte nach meiner Herkunft.

»Alemania«, sagte ich.

»¡Alemania! ¡Heil Hitler!«

Und dabei hob er ganz selbstverständlich freundlich lächelnd den rechten Arm.

Das sollte die ganze Woche so weitergehen. Bei den ersten fünf Taxifahrten versuchte ich dem Fahrer geduldig und mit dem nötigen Ernst zu erklären, dass die ganze Geschichte mittlerweile ein bisschen zurückläge und wir uns in Deutschland in der Zwischenzeit auf eine andere Art der Begrüßung geeinigt hätten. Jedes Mal dasselbe Gespräch, ein Kampf gegen Windmühlen. Ab der sechsten Fahrt wurde es mir schließlich zu bunt. Ich hob meinen Arm und grüßte freundlich zurück.

Jetzt, wo wir Vertrauen gefasst hatten, kam der Fahrer aus der Reserve und enthüllte seinen wahren Job. »¡Bienvenido a la Argentina!«, begrüßte er mich. Anschließend bot er mir an, mir alles besorgen zu können: Mädchen, Drogen oder eine Knarre. Am liebsten gleich alles auf einmal. Mein erster Gedanke war, denkt der Fahrer vielleicht, dass Taxis rechtlich einem Schiff ähneln? Hier gilt das konventionelle Recht der Stadt nicht, wir sind in internationalen Taxi-Gewässern unterwegs. Erstes Gebot: höflich bleiben. Ich machte ihm klar, dass ich mich geehrt fühlte, aber dankend ablehne. Nun sah er sich in seiner Ehre angegriffen:

»Du glaubst mir nicht?«

»Doch, natürlich glaube ich dir. Aber ich habe kein Interesse.«

»Du glaubst, ich bluffe.«

Kaum sagte er das, griff er unter den Sitz und holte einen Revolver hervor. In einer Mischung aus Händler-Stolz und Taxi-Fahrer-Gesetzesfreiheit präsentierte er mir die feilgebotene Ware. Ich war beeindruckt, verunsichert und versucht zugleich. Ich dachte früher immer, die Gebrauchtwagen-Händler auf dem Essener Automarkt seien ein bisschen zwielichtig. Aber das hier war eine andere Liga. Als er mir Mädchen, Drogen und Knarren zum Kauf anbot, hatte ich nicht gedacht, dass er die Pistole in Griffweite hätte. Nun stellte sich die Frage, waren die Mädchen und die Drogen auch an Bord? Ich fing an, nach Kratzgeräuschen aus dem Kofferraum zu lauschen. Vielleicht hatte er deswegen das Radio mit der Tango-Musik so laut aufgedreht...

Ich lehnte nach wie vor alle Offerten ab und versuchte ihm klarzumachen, dass der Hauptgrund, warum ich sein Taxi herangewunken hatte, nicht der Wunsch nach Frauen, Drogen oder Schusswaffen war, sondern in erster Linie eine Taxifahrt. Das ließ er nicht gelten, wiederholte die Angebote und fing an, Preise zu nennen. Ich bat darum auszusteigen, woraufhin er mich anfluchte. Er brüllte dabei die spanische Variante des A-, B-, C- bis Z-Wortes. Ich antwortete mit dem P-Wort, dem C-Wort und dem im Spanischen sehr beliebten HDP-Wort, das sich mit dem ausgeübten Beruf der Mutter des Gegenübers befasst. Er nahm gestenreich wieder Bezug auf das Doppel-H-

Wort und den vermeintlichen Beruf meiner Großeltern. Es ging hin und her, ein vermeintliches Tabu-Wort ergab das nächste. Ich war kurz davor, mal wieder über Bolivien zu flüchten.

Hier standen wir nun am Straßenrand in einer lateinamerikanischen Großstadt und stritten uns buchstäblich in der Gosse. Es war ein neuer Tiefpunkt. Da der Fahrer Angst hatte, dass ich ohne zu zahlen verschwinden könnte, fuchtelte er zur Erinnerung noch einmal mit seiner Waffe. Ich entschied mich fürs Ü-Wort (Überleben) und gab mich geschlagen: Ich zahlte ihm ein entsprechend wohlwollendes Trinkgeld. Kaum hatte ich ihm das Geld hingeworfen, bemerkte ich auf der anderen Straßenseite einen Polizisten. Was er von drüben sah, muss gutes Popcorn-Kino gewesen sein. Ein Taxi bremst abrupt ab, und die beiden Protagonisten steigen aus, ein 2 Meter großer, blasser Europäer und der untersetzte Taxifahrer, ein argentinischer Danny DeVito. Sofort beginnen sich beide spanische Schimpfwörter um die Ohren zu hauen. Als Höhepunkt im vierten Akt zieht Danny DeVito einen Revolver, und der schlaksige Tourist wirft ihm zwei 100-Peso-Scheine auf den Beifahrersitz. In England oder Deutschland wären wir dafür beide verhaftet worden. G sei Dank waren wir aber in BA. Der Polizist winkte uns daher nur müde lächelnd zu und tickte mit seinem Zeigefinger an den Kopf. Er signalisierte uns das internationale Zeichen für das V-Wort (Vogel).

Vielleicht das sympathischste aller Wörter, die es zum Ritter geschafft haben.

Tabus sind also situationsabhängig. Manchmal ist alles erlaubt, manchmal nichts – ob in Deutschland, Argentinien oder England.

In einigen Fällen werden selbst Beleidigungen zur Unterhaltung, zum Beispiel, wenn ein Polizist einen skurrilen Streit (inklusive Schusswaffe) im richtigen Land beobachtet.

In gegenteiligen Fällen kann aber auch Unterhaltung zur Beleidigung werden. Falls das Timing nicht stimmt, oder die Zielgruppe, oder einfach die Stimmung.

Macht ein Komiker einen Gag über einen missglückten Bungee-Sprung, und im Publikum sitzt zufällig jemand, der ausgerechnet dadurch einen Verwandten verloren hat, entsteht aus einem harmlosen Witz eine kritische Situation. So etwas passiert regelmäßig bei Themen wie Religion oder Fußball, weil es da um Zugehörigkeit geht und der Spaß dort für viele Menschen aufhört.

Sind es deswegen Tabu-Themen?

Natürlich nicht. Tabu-Themen sollte es in der Comedy nicht geben. Wenn man ein Thema richtig angeht, kann man darüber auch Witze machen – vorausgesetzt, die Rahmenbedingungen stimmen.

»Comedy is tragedy plus time«, lautet die berühmte Formel.

Manchmal muss man also einfach ein bisschen abwarten, bis ein Thema von einer Tragödie zum Gegenstand von Komödie werden kann und darf.

Daher ist es immer wichtig, Tabus und heikle Themen situativ zu betrachten, denn es gibt Situationen, in denen normalerweise akzeptable Themen und Gags zu Tabus werden. Und andersrum gibt es Tabus, die völlig problemlos angesprochen werden können.

Ein Witz über Dicke ist nicht okay, wenn er von einem Schlanken gemacht wird. Erzählt aber denselben Witz ein Übergewichtiger einem anderen, ist das Tabu plötzlich weg.

Selbiges gilt für einen Judenwitz, den ein Rabbi seiner Gemeinde vorträgt. Das funktioniert in der Regel besser, als wenn ihn ein deutscher Tourist in Tel Aviv oder Warschau erzählt.

Die Frage, die mir am häufigsten gestellt wird, ist: »Ist englische Comedy härter, tabuloser?«

Da Tabus oder heikle Themen, wie gesagt, situativ und nicht generell bestehen, kann man diese Frage also ganz klar mit Nein beantworten.

Weil Comedy auf der Insel aber meist in alkoholschwangeren Clubs stattfindet, ist die Gangart definitiv rauer. Aber mit gesellschaftlichen Tabus hat das nichts zu tun, die sind sich nämlich in beiden Ländern sehr ähnlich. So hört der Spaß genau dort auf, wo einem an Silvester ein billiges Veggie-Buffet aufgetischt wird. Wieder eine Gemeinsamkeit.

Es bleibt also die entscheidende Frage nach dem großen Unterschied: Hat England als Land also mehr Humor als Deutschland? Es hat definitiv eine besser entwickelte Humor-KULTUR. So wie es auf der Insel eben auch eine ausgeprägtere Musikszene, prestigeträchtigere Elite-Universitäten und eine progressivere Mode-Branche gibt als bei uns.

Dafür kommen aus Deutschland moderne Autos, viele Trends in der elektronischen Musik und ein durchlässigeres Bildungssystem.

Genießen wir also die Unterschiede. Denn nur weil beide Länder ihre eigenen Stärken haben, gibt es die gegenseitige Faszination füreinander. Hat also jetzt eine der beiden Kulturen mehr Witz? Wahrscheinlich ja. Ich fürchte, wir müssen uns hier geschlagen geben. Briten sind von Natur aus etwas exzentrischer und humorvoller, wir Deutschen hingegen sind dafür Meister der Logik und der Direktheit. Schließlich ist Großbritannien ein Land ehemaliger Seefahrer, Deutschland ein Land von Autobauern. So etwas prägt.

PENDLER ZWISCHEN DEN WELTEN

– Wie man gleichzeitig in zwei Ländern wohnt –

Beruflich zu pendeln kann anstrengend sein. Vor allem wenn die Reiseziele nicht in zwei Nachbarstädten, sondern in verschiedenen Ländern liegen. So etwas bietet sich vielleicht an der luxemburgischen, schweizerischen oder liechtensteinischen Grenze an, aus Steuergründen. Zwischen Deutschland und England aber pendeln nur Vollidioten. Einer davon bin ich. Da ich seit einigen Jahren nicht mehr nur auf der Insel, sondern parallel in beiden Ländern auftrete, fliege ich also oft hin und her. Ein Flug von London nach Düsseldorf ist dabei mit gut 50 Minuten angenehm kurz, wenn man bedenkt, dass dies innerhalb Londons exakt der Hälfte meiner Fahrtzeit zum Flughafen entspricht. Ich wohne in Süd-London und fliege daher von Gatwick, doch die Auswahl wäre wesentlich größer, denn London hat fünfeinhalb Airports. Im Süden Gatwick, im Westen Heathrow, im Norden Luton, im Osten Stansted und in der City den gleichnamigen City Airport. Hinzu kommt der Flughafen London-Southend in Southend-on-Sea, einer Küstenstadt, die etwa 70 Kilometer von der Hauptstadt entfernt liegt. Dieser Logik folgend, müsste es auch einen Flughafen London-Birmingham oder noch besser London-Paris geben. Wie weit lassen sich Stadtgrenzen dehnen? Wer schon mal die hilflosen Gesichter der ankommenden Touristen am Flughafen Frankfurt-Hahn oder Düsseldorf-Weeze gesehen hat, versteht das Problem. Genauso ist es in London-Southend.

»Wie teuer ist ein Taxi von hier ins Stadtzentrum?«

»Ins Stadtzentrum von Southend 15 Pfund, ins Stadtzentrum von London 200.«

»...?!?«

Ein wunderbarer erster Kontakt mit dem britischen Humor, der auch vor der Flughafen-Namensgebung nicht haltmacht.

Ich fliege generell nur über Gatwick, Heathrow oder den City Airport, da es die einzigen Flughäfen sind, die man schnell und günstig mit dem öffentlichen Nahverkehr erreicht. Stansted und Luton hingegen sind die perfekten Touristen-Fallen. Sie sind nicht nur schön weit weg, sondern treiben auch über ihre teuren Zugverbindungen die Reisekosten massiv in die Höhe. Unglaubliche vierzig Pfund für Hin- und Rückfahrt fallen da an. Willkommen in London, gewöhnen Sie sich schon mal an das Loch im Portemonnaie.

Der Fahrpreis zum Flughafen entspricht gerne mal dem Preis des Flugtickets, denn Luton und Stansted bieten die billigsten Flüge an. Rechnet man Zugkosten, Nerven und Lebenszeitverlust mit ein, empfiehlt es sich daher, diese beiden Flughäfen zu meiden.

Wobei der Besuch eines britischen Billigflughafens sehr empfehlenswert ist, stellt er doch eine wirklich unterhaltsame Erfahrung dar. Englische Urlauber kleiden sich nämlich generell nicht nach dem Wetter am Abreiseort, sondern richten sich immer nach dem Klima am Zielort. Der Anblick leicht bekleideter Touristen am Flughafen im kühlen England ist eine Augenweide. Insbesondere Nordengländer sind hart im Nehmen und frieren aufgrund genetischer Mutation aus Prinzip nicht (»They breed them tough up there«). Ein Mantelgeschäft in Newcastle zu eröffnen wäre für jeden Textilunternehmer der sichere Weg in den Bankrott. Wenn nun im verschneiten Februar eine Gruppe Reisender aus Newcastle auf dem Weg in südliche Gefilde ist, bietet sich ein einmaliges Bild. Sie wirken dann in ihren kurzen Hosen, Muscle-Shirts und Flip Flops so deplatziert wie ein Eisbär im Madrider Zoo.

Viele Billigflieger sind vor allem deswegen so günstig, weil sie Randzeiten füllen. So ist eine Startzeit vor 8 Uhr vormittags keine Seltenheit. Diese frühen Flüge werden auch Red-Eye-Flights genannt, da der Wecker gerne mal um 5 Uhr morgens klingelt, um dann gegen 6:30 Uhr am Flughafen zu sein. Ich versuche diese unmenschlich frühen Flüge zwar zu vermeiden, aber manchmal habe ich keine andere Wahl. Wenn ich nun übermüdet mit roten Augen am Flughafen sitze, trinke ich nicht mal Kaffee. Denn ein Espresso bei zu großer Müdigkeit führt bei mir zu einem massiven Rausch, der sich anfühlt wie eine Mischung aus Crystal Meth, Club Mate und einer Nahtoderfahrung.

Das machen die meisten englischen Flugreisenden ähnlich, auch sie verzichten auf Kaffee. Wozu auch ein Heißgetränk, wenn schon morgens Bier ausgeschenkt wird.

In allen Londoner Flughäfen gibt es einen Pub, in dem man selbst zum Frühstück schon ein Frischgezapftes bekommt. Es gilt die alte Gastronomen-Weisheit: »Build it, and they will come!« Sie kommen tatsächlich, und zwar in Scharen.

Einige Gäste sind schon etwas länger da. Sie sehen aus, als hätten sie irgendwann ihren Flug absichtlich verpasst – und zwar im Jahre 1997. Und so geht dann jeder Abend in den nächsten Morgen über. Diese klassischen Konterbier-Tempel sollten daher eigentlich alle »Hair of the Dog« heißen.

Immer wenn ich vor einem frühen Flug an trinkenden Fluggästen vorbeigehe, mischen sich zwei Gefühle in mir: Unverständnis und Neid. Unverständnis darüber, warum man schon um 7 Uhr der Produktivität des Tages den Gute-Nacht-Kuss gibt. Und gleichzeitig Neid, aus genau demselben Grund. Den Tag schon um 7 Uhr morgens abzuhaken und ausklingen zu lassen ist in der Tat beneidenswert. Ding, dong, hier wird nicht die letzte Runde des Tages eingeläutet, sondern die erste. Ich hoffe immer, dass kein Pilot dabei ist.

Piloten und Chirurgen haben angeblich die höchsten Alkoholiker-Raten. Vielleicht erklärt sich so, warum in England die meisten Ärzte indischer oder pakistanischer Herkunft sind, und viele Piloten arabischer Abstammung. Keine schlechte Idee, bei den beiden alkoholabhängigsten Berufen auf nicht oder kaum trinkende Kulturen zu setzen. Ich bezweifle sowieso, dass die Trinkstatistik stimmt. Unter Komikern, Autoren und Schauspielern ist meiner Erfahrung nach die Trinkerquote weit höher als bei Piloten und Chirurgen. Wobei die Auswirkungen natürlich andere sind. Der besoffene Komiker kann eine Pointe zerstören, der Chirurg die weitere Lebensplanung, und der Pilot ein ganzes Dorf. Besonders strenge antialkoholische Kriterien sollten also für Berufsgruppen gelten, denen Leben anvertraut werden. Wenn ich an meine Schulzeit zurückdenke, würde ich Lehrer klar auf Platz eins der Flaschenumarmer-Statistik vermuten, vor allem Lateinlehrer. Liegt es etwa daran, dass es eine tote Sprache ist? Wird da die Trauer ertränkt?

Eine unserer Lateinlehrerinnen lag beim Trinken noch vor allen anderen »geselligen« Lehrern. Sie wurde damals eines Morgens um halb acht sternhagelvoll in der Hecke vor dem Haupteingang des Gymnasiums gefunden – um halb acht morgens! Rückblickend sehe ich es als Hommage an alle Flug-hafen-Pubs in England, und zwar auf Latein: carpe diem. Aber carpe so was von diem!

Wer beruflich viel fliegt, lehnt kostenlose Drinks vom Ge-tränketrolley also besser genauso ab wie Einladungen zu einem Frühstücksbier am Flughafen. Man ist ja nicht umsonst kein Lateinlehrer geworden. Außerdem gilt es beim Pendeln hellwach zu sein, um Fehler zu vermeiden.

Denn in zwei Ländern gleichzeitig zu leben erfordert eine gute Logistik, die ich mittlerweile perfektioniert habe. Da stehe ich auf einer Stufe mit den blitzsauberen FIFA-Funktio-nären, denen auch keiner etwas vormacht, wenn es um die Optimierung der doppelten Haushaltsführung geht.

Ich setze zwar weniger auf Scheinkonten auf bananenrepu-blikanischen Kleinst-Inseln, dafür aber immerhin auf effizien-tes Pendeln zwischen Deutschland und der britischen Groß-Insel.

Um so etwas geld- und zeitsparend zu betreiben, komme ich um frühzeitige Flugbuchungen, ein Doppel-SIM-Karten-Telefon und ein Portemonnaie, das immer mit beiden Wäh-rungen bestückt ist, nicht herum.

Damit ich am Flughafen keine wertvolle Zeit verliere, reise ich außerdem prinzipiell nur mit Handgepäck – und gleiche hier wieder dem FIFA-Deligierten mit seinem Geldkoffer.

In meinem Bordgepäck sind zwar leider keine Geldbatzen, aber ich bekomme es auch so ganz gut voll: bei Sportschuhen in Größe 48 kein Problem.

Übung macht den Meister, und so bin ich mittlerweile Experte im Packen. Beim Pendeln zwischen zwei Haushalten ist das natürlich weniger wichtig. Gehe ich aber auf Tour, muss ich vollständiges Gepäck mitnehmen. Da schaffe ich mittlerweile zweiwöchige Reisen mit Handgepäck. Der Trick ist einfach: für eine Woche packen – und dann eine Gelegenheit zum Waschen finden (erneut ähnlich dem FIFA-Funktionär mit seinem Bargeld). Außerdem nichts Überflüssiges einpacken, und von allem immer die kleinste Ausführung: Mini-Laptop, XS-Ladekabel, Probegrößen bei Pflegeartikeln und ein kleines Taschenbuch – oder ein großes mit kleiner Schrift.

Ein Regenschirm fällt bei mir ja prinzipiell weg, das spart noch mal Platz.

Hinzu kommt, dass bei meiner Länge eine Tasche immer kleiner wirkt als bei einem normalgroßen Reisenden. So komme ich damit davon, etwas mehr Handgepäck mitzunehmen. Es ist eben alles relativ.

Sehr frühe Flüge versuche ich, wie gesagt, zu vermeiden. Denn für einen nicht ausgeschlafenen Reisenden ist das Pendeln zwischen einem Land mit Links- und einem mit Rechtsverkehr lebensgefährlich. So sind die ersten Minuten nach Ankunft immer eine Herausforderung ans Gehirn. Ich wirke dann beim Überqueren der Straße wie eine ausgesetzte Schildkröte.

Die Szenerie gleicht dem Moment, in dem ein Großstädter in eine Kleinstadt kommt: Plötzlich ist das Verkehrsverhalten anders, die Menschen bleiben an der roten Fußgängerampel stehen, obwohl kein Auto kommt. Überquert nun der Großstädter die Straße bei Rot, pöbelt ihn der Kleinstädter an: »Ey, is' Rot!«

Kommt im umgekehrten Fall ein Kleinstädter in die Großstadt, drehen sich die Vorzeichen um. Er wundert sich, dass alle bei Rot gehen, und wartet trotzdem auf Grün – hier pöbelt dann niemand. Ist der Großstädter vielleicht toleranter? Oder weniger besorgt?

Das kann so nicht stimmen, zumindest nicht im Land des Linksverkehrs.

Denn in London erlebe ich es regelmäßig, dass Touristen nach links schauen und dann bei Rot über die Ampel gehen, im Glauben es käme kein Auto.

In dem Moment reisst ein beistehender Londoner den Touristen an den Hosenträgern zurück, so dass dieser dem heranrasenden Doppeldecker-Bus (von rechts!) gerade noch ausweichen kann.

Übrigens, ich habe mich in diesem Fall einfach mal Tourist genannt.

Die Gefahren eines Doppellebens sind also überschaubar, und die Vorteile überwiegen bei Weitem. So treffe ich immer spannende Menschen und erfreue mich beispielsweise im Flugzeug an der deutsch-englischen oder englisch-deutschen Hybridversion Mensch: ein teetrinkender Westfale in Skinny Jeans (das bin ich) neben einem Heinrich-Böll-lesenden Engländer in Jack-Wolfskin-Jacke. Oder ein brav anstehender Deutscher am Check-in sowie ein Brite, der sich am Telefon lautstark über das Revierderby zwischen Schalke und Dortmund unterhält.

Wenn mich dann meine englischen Freunde als »typically German« bezeichnen, während meine deutschen Freunde mir vorhalten, »total britisch« zu sein, fühle ich mich als Doppelagent, als anglogermanisches Mischwesen – eine Kombination, deren Existenz mir im Hinblick auf unser historisches Erbe große Freude macht.

Bin ich in Deutschland, fehlen mir viele Elemente des Londoner Lebens, wie die multikulturelle Gesellschaft mit ihrer weltweiten Küche, die Tea Time, die tollen Theater und (ausnahmslos kostenlosen) Kunstgalerien oder die großartige Musik-Kultur. Bin ich dann wiederum in London nervt mich die Stadt oft mit ihren großen Entfernungen, ihrem hohen

Stress-Level, ihrer großen Arm-Reich-Schere und ihrer Geld-besessenheit. Dann wiederum vermisse ich die Entspanntheit Berlins, die Direktheit des Ruhrgebiets, die oft progressive deutsche Seele.

Daher ist das Idiom vom »best of both worlds« sehr zutreffend. Man sucht sich aus beiden Welten das Beste heraus. Der Pessimist mag einwenden, dass ich auch mit den schlechten Seiten beider Welten leben muss. Seiner Logik folgend, sind also beide Welten halbleer. Ich verweise dann auf mein halbvolles Frühstücksbier am Flughafen und verabschiede mich mit einem Zitat meiner Lateinlehrerin: »carpe diem«, ich muss los.

WAS FÜR EIN SAUSTALL

– Die schrägsten Spielorte –

Das Pendeln zwischen den beiden Ländern ist auch ein Pendeln zwischen verschiedenen Kultur-Szenen. In Deutschland finden Comedy-Shows meist in Theatern, Kulturzentren, Kinos oder Clubs statt. In Großbritannien ist die Bandbreite größer, buchstäblich alles kann hier zum Comedy-Club werden.

So saß ich eines Abends kurz vor meinem Auftritt in einem Londoner Vorort-Pub am Tresen und traute meinen Augen nicht. Dass mir kurz vor der Show ein bisschen die Düse geht, klar. Aber Halluzinationen – so etwas war mir neu. Da sitzt man wartend in der Kneipe und sieht plötzlich eine große, schwarze Sau an sich vorbeilaufen. Ein Schwein in einem Pub?

Eine Kneipen-Python samt Ratte kannte ich schon, von einem Mini im Schankraum hatte ich auch bereits gehört, aber eine Sau?

Ich stand auf, ging zu Brian, dem Wirt, und fragte, ob ich vielleicht schlechtes Leitungswasser getrunken hätte – ich sah Schweine!

Brian winkte nur ab, es sei lediglich das Pub-Pig. Natürlich!

Ich war sofort verwirrt, interessiert und hungrig zugleich. Immerhin hatte ich noch nicht den Verstand verloren, das Tier war keine Fata Morgana.

Die Stammgäste kannten das Schwein, versicherte mir Brian. Aber neue Gäste würden nach Sichtung des Tiers meist auf ein weiteres Bier verzichten. Klar, wer nach fünf Pints plötzlich eine fette Sau sieht, trinkt dann meistens kein sechstes. Dennoch sei das Tier ein regelrechtes Sparschwein für den Kneipier, denn nach dem ersten Schrecken koste das Pub-Pig nicht etwa Umsatz, sondern steigere ihn. Wenn der Kneipier die Sau rauslässt, ziehen die Gäste eben mit.

Gar nicht dumm. Die meisten Pubs und Bars versuchen Alleinstellungsmerkmale zu finden: Pub-Quiz, Comedy, Tischtennisplatten, Bingo oder Burger-Nights – das Übliche. Auf die Sau gekommen ist aber nur Brian, und das Konzept geht auf: Der schweinische Mitbewohner zog definitiv mehr Kunden als seine zum Burger verarbeitete Verwandtschaft.

Mein Auftritt dort lief entsprechend saugut. Ich bezeichne es als Privileg und berufliches Qualitätsmerkmal zugleich, dass mein Publikum mit dem von Pub-Säuen eine überraschend große Schnittmenge hat.

In einem Schweinestall aufzutreten ist zwar speziell, aber dennoch nur ein weiteres Teilchen in dem skurrilen Mosaik meiner bisherigen Spielorte auf der Insel. Nicht nur beim Fringe-Festival in Edinburgh treten wir als Komiker an schrägen Orten auf. Auch der normale, ganzjährige Comedy-Betrieb bietet mitunter herrlich abgefahrene Venues.

Der Grund liegt in der Vielzahl der Shows: Stand-up-Comedy ist in Großbritannien ein so etablierter Teil der Kulturszene, dass sie nahezu überall stattfindet. Zu vergleichen am ehesten mit Live-Musik, die es ja auch in Kneipen, Theatern, Hallen, Clubs oder sogar auf der Straße gibt.

Wenn ich nicht gerade in Comedy-Clubs oder Theatern auftrete, sind zwei andere Arten von Spielorten am üblichsten. Zum einen die Festsäle (»Function Rooms«) von Pubs und zum anderen Klubheime. Viele Sportvereine (sogar Tontaubenschützen) organisieren nämlich regelmäßige Comedy-Abende für ihre Mitglieder. Wo sich die Welt der Sportvereine mit großem Gelände und Klubheim in Deutschland weitestgehend auf Tennis, Golf und Fußball beschränkt, ist sie in England facettenreicher: Rugby, Cricket, Hockey, Lacrosse oder auch Bowling (das englische Bowling wird draußen gespielt und gleicht Boule oder Boccia) ergänzen die Palette.

Ich bin schon bei Vereinen aus all diesen Disziplinen aufgetreten, die Klientel unterscheidet sich dabei sehr. In England beschreibt man die Unterschiede wie folgt: »Football is a gentleman's game played by ruffians, and rugby is a ruffian's game played by gentlemen.« Der Fußball wird also von Raufbolden gespielt, während diese beim Rugby eher im Publikum sitzen. Auf dem Platz stehen dort feine Herren, beim Fußball ist es umgekehrt. So war es zumindest in der Entstehungsphase der Sportarten. Wenn ich nun in diesen verschiedenen Sport-Klubs auftrete, merke ich die Unterschiede zwischen den sozialen Milieus jedoch nach wie vor.

Im Golf- und Cricket-Klub verhält sich das Publikum feiner und gesitteter, ist aber auch langweiliger. Im Rugby-Verein geht es dann schon etwas härter zu – und bei Fußballvereinen brechen alle Dämme. Ein deutscher Komiker im Klubheim eines englischen Fußballvereins – da ist die Eskalation schwieriger zu vermeiden als im Israel-Palästina-Konflikt.

Natürlich bin ich daran nicht ganz unschuldig, denn ich suche die Provokation. Im Konflikt liegt schließlich der Humor. Und so geht es manchmal heiß her. Noch mehr als die Auftritte bei den großen Vereinen wie bei Manchester United oder Newcastle United bereiten mir vor allem die Gigs bei den unterklassigen Klubs großes Vergnügen. Da herrscht – genau wie auf dem Platz – eine härtere Gangart als bei den wohlhabenden Großklubs. Während des Auftritts sowie im Anschluss liefere ich mir mit den Zuschauern gerne herrliche Duelle, wirklichen Ärger gab es aber im Fußballumfeld nie – es bleibt bei verbalen Zweikämpfen. Da ziehe ich den Hut vor allen Beteiligten, denn Fußball-Witze treffen einen oft persönlich.

Die Fans der vermeintlich gesitteteren Sportarten sind überraschenderweise oft empfindlicher als die Fußballer. So erlebt bei einem Cricket-Verein in Esher, im südwestlich von London gelegenen Surrey. Der Auftritt lief super, zunächst. Bis ich dann sagte, dass wir in Deutschland kein Cricket hätten: »To us Germans, cricket is what building a decent car is to you English people.«

Das gab Ärger. Und der Ärger sollte sich am Tag nach der Show noch verdoppeln. Nachdem ich den Gag in bester Donald-Trump-Manier bei Twitter gepostet hatte, wurde neben dem Publikum vom Vorabend auch noch die deutsche Cricket-Vereinigung sauer. Die gibt es wirklich. Doch Außenseitertum verbindet. Wir einigten uns, dass wir im selben Boot sitzen: Einen deutschen Komiker oder einen deutschen Cricket-Verband, beides halten die Briten für einen schlechten Witz.

Ein noch schlechterer Witz war es, als ich zusagte in einem Bus aufzutreten. Eigentlich ist das ja die perfekte Kombination: ein Linienbus als Comedy-Club. Denn zu den meisten Auftritten fahre ich sowieso mit öffentlichen Verkehrsmitteln. Warum nicht also gleich darin auftreten! Soweit die Theorie.

In der Praxis wurde ein typischer roter Doppeldeckerbus für ein Festival zu einem Spielort umgebaut, auf der oberen Ebene fanden im vorderen Teil Shows statt. Was aufregend und gut klang, sollte sich nicht als Doppel- sondern als Dreifach-Fehler herausstellen: Das Ding stand in der Sonne und war total überhitzt, es gab oben nur Sitzplätze für zwölf Leute – und außerdem hatte irgendein Genie eine Bühne in den Bus gebaut.

Nun passe ich mit meinen zwei Metern Körpergröße ohnehin nur gebückt in den oberen Teil eines Londoner Busses. Mit dem als Bühne gedachten Podest wurde der Laden für mich zum Kriechschacht im vorindustriellen Kohlebergwerk. Ich betrat gekrümmt und dabei gequält guckend das Podium. Die Zuschauer lachten ob meiner Slapstick-Einlage, und eigentlich habe ich ja nichts gegen Lacher. Ganz im Gegenteil, sind sie doch die warme Umarmung, nach der wir Komiker uns sehnen, das Brot des Künstlers, die Währung des Humorarbeiters. Aber es waren eben Slapstick-Lacher. Hätte ich diese Art von Lachern gewollt, wäre ich Clown im Zirkus geworden – oder Redakteur für russische Pannenvideos bei YouTube.

So hatte ich am Ende zwar eine weitere unbespielbare Location in meiner Sammlung, ging aber auch um zwei Lektionen schlauer nach Hause: Das »mind your head!«-Schild im oberen Busteil hat seine Berechtigung und das Lenkrad auch. Denn Busse sind zum Fahren da, nicht zum Auftreten.

Die Aufzählung meiner bisherigen Auftrittsorte liest sich wie das Auswahlmenü beim Städtebau im Spiel »Die Sims«: Theater, Kirchen, Strip-Clubs, Grundschulen, Friseur-Salons, Spielcasinos, Brauereien, Kinos, Busse, Bahnhöfe, Social Clubs – die Liste ist lang und voller Skurrilitäten.

Vor allem Social Clubs sind dabei typisch englisch. In Deutschland ist das Konzept dieser Mitglieds-Klubs eher unbekannt, in England hingegen gelten sie als Institution. Entstanden im Arbeiterklasse-Milieu, richtete ein großer Arbeitgeber, beispielsweise eine Fabrik, einen Raum ein, in dem der Belegschaft ein günstiges Sozialleben ermöglicht wurde. Sozialleben wird hier synonym mit Kneipenbesuch verwendet.

In einem Social Club gibt es für Mitglieder neben billigem Bier außerdem billige Deko, billiges Dartspiel, billige Musik und billige Flirts. Diese Läden sind oft Relikte aus der Vor-Thatcher-Zeit, als Großbritannien noch eine große verarbeitende Industrie hatte. Da diese zu einem Großteil in den 1980er-Jahren zu Ende ging, endet dort auch bis heute die Musikauswahl. Und der letzte Anstrich fand ebenfalls noch vor der Regentschaft der Eisernen Lady statt.

Dadurch wirken diese Klubs aber so wunderbar nostalgisch. Jedes Mal wenn ich in einem dieser Social Clubs auftrete, fühlt es sich an wie eine Zeitreise: keine Gäste mit Kindle oder iPad, die Toiletten ganz ohne Dyson Airblade, und im Hintergrund besingt Tom Jones Delilah.

Wir kennen diese Filme, in denen ein Vorbeireisender in eine verlassene Bar spaziert. Plötzlich stoppt die Musik, das Licht geht an, alle Anwesenden wenden sich zur Tür und betrachten durch zusammengekniffene Augen den Alien.

Der Alien, das bin ich. Jedes Mal, wenn ich einen dieser ironischerweise irgendwie unsozial wirkenden Social Clubs betrete, bin ich ALF, der bei den Tanners in die Garage kracht. Doch nach anfänglicher Skepsis schafft es ALF, die Herzen der Familie zu gewinnen, indem er sie zum Lachen bringt. Manchmal hingegen gilt auch für Nicht-Außerirdische der Satz »life is stranger than fiction«, wie ich bei einem Auftritt im Social Club in Reading feststellen musste. Die Stadt westlich von London hat wenig vorteilhafte Viertel, und im am wenigsten vorteilhaften gibt es den Reading Social Club. Mein Smartphone und Google Maps führten mich hin, doch ich zweifelte an der Richtigkeit der Anschrift. Denn am Zielgebäude befand sich weder eine Beschilderung noch standen Menschen davor. Sollte das hier vielleicht der erste Antisocial Club Englands sein? Immerhin gab es eine Klingel. Ich drückte den Knopf und wartete. Eine unverständliche Durchsage knarzte mir aus der Vorkriegsgegensprechanlage entgegen, und als der Krach nach einigen Sekunden endete, antwortete ich in Richtung Ur-alt-Elektronik: »I am Christian, the comedian.«

Stille.

So musste sich ein Freier beim Klingeln am Freudenhaus fühlen. Noch bestand tatsächlich die Chance, dass mich mein Handy nicht zu einem Social Club sondern zu einem Stundenhotel geführt hatte – oder einem geheimen Pokertreff der Unterwelt.

Da stand ich nun in dieser dunklen Seitengasse, nicht wissend, welche Art von Gefahr hinter der Tür lauerte. Comedy, was für ein spaßiges Geschäft!

Ich nahm mir vor, am nächsten Tag Pfefferspray zu kaufen.

Nach einer gefühlten Ewigkeit öffnete sich die Tür. Eine kräftige, ältere Dame im Neon-Top stand vor mir.

»Hi Christian, I'm Rose.«

Also doch ein Puff!

Dann klärte sie mich auf (Zote!) und stellte sich als Vorstandsmitglied des Klubs vor, von dem ich gebucht worden war. Ich war also doch an der richtigen Adresse.

Es ging an der Jukebox und mehreren gut besetzten Tischen vorbei in den hinteren Teil des Saals. Dort wurde mir der Tontechniker vorgestellt. Er war definitiv jünger als alle Platten in der Jukebox, lange nicht so alt wie die Tapeten und wahrscheinlich war er sogar nach dem Tag geboren worden, an dem das letzte Mal hier im Klub gelüftet wurde.

Kurzum, er war 14.

In einem Billig-Bier-Laden, in dem sich alle bis zum Verlust der Muttersprache betrinken, ist die Idee, einen 14-Jährigen für die Technik anzustellen, an Genialität nicht zu überbieten. Wie viele volltrunkene, erwachsene Techniker man wohl verschlissen hatte, bis man darauf kam?

Die Klubmitglieder beäugten mich skeptisch, ich äugte ebenso skeptisch und voller Befürchtungen zurück. Mal wieder sollte ich Leute bespaßen, mit denen ich auf den ersten Blick wenig Schnittmenge hatte. Und die Menschen hier im Klub trugen ihre Achtziger-Jahre-Klamotten nicht hipstermäßig ironisch, sondern ganz unironisch aus Gewohnheit.

Der Laden wirkte spaßig-schräg, aber gleichzeitig auch so traurig wie die Mitternachtssängerin bei meinem Silvesterauftritt für Marvin. Die Fruit-Machine-Spieler-Dichte war hoch.

Ich war als Headliner gebucht, sollte den Abend also mit einem 30-Minuten-Auftritt beschließen. Diesen Status als Hauptkünstler der Show hatte ich mir über die Jahre erarbeitet – obwohl es nicht immer ein Vorteil ist, letzter Act des Abends zu sein. Denn oft haben die Zuschauer gegen Ende der Show schon mächtig getankt, und bei den Bierpreisen hier im Club befürchtete ich das Schlimmste.

Andererseits ist die Schlussposition generell gut, weil die Zuschauer aufgewärmt sind. Nicht zu unterschätzen ist der wichtigste Pluspunkt: Ich kann mir den ersten Teil der Show ansehen und mich schon mal auf die Dynamik im Raum einstellen. Mal sehen, wie sozial die Stimmung im Social Club wird ...

Der Moderator, der Eröffnungskomiker und ich waren uns beim Anblick des Ladens einig: Normalerweise trinken wir vor einem Auftritt generell keinen Alkohol. Aber heute ging es nicht anders. Wir bestellten Bier und versuchten uns in Richtung Zielgruppe zu trinken. Als Barney, der Moderator, sein drittes Pint geleert hatte, ging es los.

Er eröffnete die Show und sah sich einer Mischung aus Stille, Gleichgültigkeit und Abneigung gegenüber. Kurz vor Beginn der Show hatten wir erfahren, dass die Klubmitglieder keinen Eintritt bezahlt hatten – die Vereinsleitung hatte die Show als »Surprise Night« organisiert und aus der Klubkasse bezahlt. Da Komiker bei der Showplanung auf Überraschungen (das böse Ü-Wort!) ungefähr so positiv reagieren wie ein Herzschrittmacher-Patient auf einen Batterieausfall, waren wir auf einen weiteren GAU vorbereitet.

Auch Barney hatte also mit einer schwierigen Eröffnung gerechnet. Dass es aber so schlimm werden würde, hatte er nicht auf dem Schirm gehabt. Nach zwei Minuten ging er mit dem Mikrofon ins Publikum. Weniger als eine Minute später lief er im Saal umher, ihm dicht auf den Fersen ein Besoffener mit Chips in der Hand: »Dorritos! Dorritos«, rief der Verfolger und versuchte Barney mit ebensolchen zu treffen. Es war jetzt schon unglaublich »social«. Ich erinnerte mich an die »Dyson, Dyson«-Rufe vor ein paar Jahren und hatte Mitleid mit meinem Kollegen.

Nach einer Viertelstunde gab der Moderator auf und damit das Mikro ab. Der erste Komiker tat, was zu tun war: Er setzte seine langjährige Club-Erfahrung ein und ging die Leute hart und laut an. Es wirkte. Die Aufmerksamkeit stieg, der Lachpegel folgte. Sollte das hier doch noch gut zu Ende gehen? Die Stimmung war »up and coming«.

In der Pause aber kippte sie wieder. Ein Publikumsmitglied fühlte sich und seine Frau vom ersten Komiker beleidigt. Das Paar war so betrunken, dass es sich an den Gag, über den es sich echauffierte, eigentlich gar nicht mehr erinnern konnte. Die beiden hätten sich in dem Zustand auch von einer Parkuhr beleidigt gefühlt. Doch alles Argumentieren half nicht, die Situation eskalierte. Der Mann drohte meinem Komiker-Kollegen David Tsonos Prügel an. Dieser blieb völlig cool und reagierte natürlich nicht. Anders als das magische Dreigestirn, bestehend aus dem Wirt, der Türöffnerin Neon-Rose und dem 14-jährigen Sound-Techniker. Sie stellten sich dem Troublemaker in den Weg und beförderten ihn und seine Gattin hinaus. Es war wie die Schluss-Szene in einem B-Movie.

Und ich hatte wieder was gelernt: Aus einem Social Club kommt man wesentlich einfacher raus als rein.

Als der Störfaktor beseitigt war, lief der Rest der Show passabel. Mein Auftritt an dem Abend setzte keine neuen Standards, aber er funktionierte.

Nach der Show tranken wir mit dem Rest des Vereins ein Bier und fühlten uns irgendwie dazugehörig. Ein Gedanke, der nur zwei Stunden vorher noch unvorstellbar gewesen wäre.

Unsere Hoffnung auf lebenslange Ehrenmitgliedschaft im Reading Social Club wurde von zwei Dritteln des Vorstandes jedoch leider abgelehnt. Einzig Rose hatte für uns gestimmt.

Dass man als Komiker an so vielen ungeeigneten Orten spielt, ist vor allem dem geringen Aufwand zu verdanken, den eine Comedy-Show erfordert. Der Veranstalter muss im Grunde nur einen Haufen Stühle organisieren und ein Publikum draufsetzen, dazu ein Mikrofon, eine kleine Anlage und ein oder zwei Scheinwerfer – das war's. Die Unterschiede könnten dabei von einem Abend zum nächsten größer kaum sein. Gestern noch trat ich in einem großen Theater auf, mit professioneller Bühne, Licht- und Tontechniker, Garderobe und Catering. Nur 24 Stunden später stehe ich bühnenlos im Waschkeller eines Tischtennisvereins und werde von einem »Scheinwerfer« beleuchtet, der weniger Leuchtkraft hat als die Stand-by-Lampe an der Waschmaschine. Am nächsten Tag bin ich dann in einem großen Comedy-Club zu Gast, ein paar Tage später eventuell in einem TV-Studio, nur um am darauf folgenden Abend in einem Schrebergartenheim die Weihnachtsfeier zu bespaßen.

Es ist immer derselbe Job, aber er könnte sich nicht verschiedener anfühlen.

In den guten Läden, wie in Comedy-Clubs oder Theatern fallen die Auftritte in der Regel leicht. Denn der Spielort ist als solcher konzipiert worden und hat entsprechend ideale Rahmenbedingungen. Findet die Show allerdings in einer branchenfremden Lokalität statt, sieht es ganz anders aus. Bei einem Stand-up-Auftritt in einer Kunstgalerie bat der Veranstalter das Publikum unmittelbar vor meinem Auftritt, nicht allzu laut zu lachen oder zu klatschen, schließlich befänden sich in den Nebenräumen noch Kunstfreunde. Er meinte das ernst – und die Zuschauer dann auch. Mein Auftritt wurde passend zur Location zu einem viel bestaunten Stillleben.

Zur falschen Zeit am falschen Ort zu sein passiert uns Komikern ständig. So auch, als ich einen Firmenauftritt für eine Buchhaltungsfirma absolvierte. Dort stellte sich weniger das Gebäude an sich als Problem heraus, sondern vielmehr die Firma, die darin zu Gast war. Es fing harmlos an.

Die Vorbesprechung lief laut Christine Cole gut, und ich freute mich auf den Auftritt – wohl wissend, dass Firmenfeiern oft sehr undankbar sind. Doch dieses Unternehmen wirkte nett, und der Auftrittsort war eine zauberhafte alte Villa, die einen traditionsreichen Gentleman's Club beherbergte, in dem aber heute – ausnahmsweise – auch mal Damen Zutritt hatten. Ein Mitarbeiter hatte mir vorher stolz berichtet, wie fortschrittlich und politisch korrekt sein Unternehmen sei. Daher entschied man sich auch, mit Frauen in einem Gentleman's Club zu feiern. Man machte sich frei von alten Regeln und Grenzen. Diese Punks!

Beim Eintreffen begrüßten mich der CEO im augenscheinlich sündhaft teuren Maßanzug. Der Firma ging es offenbar gut. Hatte ich etwa doch nicht genug Gage ausgehandelt?

Auch ich hatte mir einen Anzug angezogen und betrieb nun Small Talk mit dem Chef. Wir aßen dabei leckere Kaviar-Häppchen, zu denen er mir eine Zigarre anbot: »Kubaner!«

»Angenehm. Deutscher.«

Er lachte, wir verstanden uns.

Für einen Moment war ich ein millionenschwerer Finanzanalyst. Die Zigarre lehnte ich trotzdem dankend ab, denn als steinreicher Finanzexperte wäre ich sicher gesundheitsbewusst und würde noch weniger qualmen, als ich es jetzt schon tue. Der Unternehmer konnte es nachvollziehen.

Wir lagen auf einer Wellenlänge, doch irgendetwas stimmte nicht. Ich sah dem CEO an, dass er mir etwas Wichtiges zu sagen hatte. Also wartete ich ab und bereitete mich mental auf die üblichen negativen Überraschungen vor Firmenauftritten vor. Heute Abend sollten sie sogar im Doppelpack auf mich lauern. Man habe vergessen, mir vorab zwei Dinge zu sagen.

Gleich zwei also.

»Erstens: Wir haben leider kein Mikrofon, ist das ein Problem? Sie können doch laut sprechen, oder? Der Raum ist ja nicht so groß.«

Ich akzeptierte es: »Bei dieser Raumgröße ist das für 40 Leute schon machbar.«

Es würde den Job natürlich schwieriger machen, aber so etwas ist kein Weltuntergang. Wir Finanzhaie mussten schließlich zusammenhalten.

Doch ich ahnte, dass er mir das größere der beiden Probleme noch nicht gebeichtet hatte.

»What's the second thing you forgot to tell me?«, fragte ich ihn.

»Sie erinnern sich doch, wie wir Ihnen sagten, dass wir die fortschrittlichste und politisch-korrekteste Buchhaltungsfirma der ganzen Branche sind?«

»Natürlich«, sagte ich, innerlich ratend, was wohl als Nächstes käme. Eine Liste mit Tabu-Themen für meinen Auftritt? Minderheiten im Saal, die ich nicht ansprechen durfte?

Er löste auf: »Es gibt eine gehörlose Kollegin, die im Saal sitzen wird. Bitte nicht ansprechen!«

Bingo! Ich hatte es geahnt. Außerdem wusste ich nun endlich, warum man das Mikrofon weggelassen hatte. Aus Angst vor einer Diskriminierung der Gehörlosen.

Ich sagte, das sei alles kein Problem: »Ich lasse die Dame natürlich in Ruhe.«

Doch der Chefbuchhalter war noch nicht fertig:

»Neben Ihnen auf der Bühne wird ein Gebärdendolmetscher stehen, der den gesamten Auftritt übersetzt.«

Ich wurde blass und ebenfalls ein bisschen stumm.

Er legte nach: »Auch den bitte auf keinen Fall ansprechen!«

Wie bitte? Was kam als Nächstes, ein billiges Veggie-Buffet?

Es kam aber: nichts.

Er meinte es ernst und erwartete wirklich von einem Komiker, das lustigste und schrägste Szenario zu ignorieren, in dem er je aufgetreten ist.

Ich sagte ihm, dass ich das natürlich ansprechen MUSS. Und dass er mir vertrauen solle.

Jetzt wurde er blass.

Die ach so entspannte Zigarren-Schnittchen-Maßanzug-Stimmung war ins Gegenteil umgeschlagen. Ich sah ihm an, dass er große Angst um den Titel als fortschrittlichste Buchhaltungsfirma der Branche hatte. Sollte ausgerechnet heute ein Externer diesen Ruf zerstören? Und ausgerechnet ein Deutscher? Ich redete beruhigend auf ihn ein und zog mich anschließend zur Vorbereitung zurück.

Kurz darauf moderierte mich der Chef an, mit zitternder

Stimme. Zwischen den Zeilen seiner Ankündigung war schon eine subtile Vorabentschuldigung für mögliche Entgleisungen zu hören. Es war eine skurrile, höchst-komische und sehr amüsante Situation. Zumindest aus meiner Sicht – er sah das wohl anders.

Nun ging es los.

Nach ein, zwei Begrüßungs-Gags sprach ich ohne Umwege sofort den Gebärdendolmetscher neben mir an. Denn für mich war er ja ein Geschenk des Comedy-Gottes. Der CEO zuckte zusammen und begann zu schwitzen.

Ich band die gehörlose Mitarbeiterin (»Auf dir liegt mehr Druck als auf mir. Wenn du nicht lachst, traut sich keiner«) und den Dolmetscher (»Wenn sie nicht lacht, liegt's an dir!«) ein, brachte beide zum Lachen und hatte somit den gesamten Saal an Bord. Den gesamten Saal, bis auf den Chef. Er wirkte nach wie vor sehr angespannt und schien vor lauter Angstschweiß bereits komplett dehydriert zu sein.

Ich stellte dem Übersetzer lustige kleine Aufgaben und ließ ihn der Reihe nach die Gebärden machen für Känguru, Pub-Schwein, Arnold Schwarzenegger und natürlich für zittriger Chef. Alle hatten Spaß, ein bisschen nun sogar der nervöse Boss.

Als ich von ihm schließlich wieder zum Gebärdendolmetscher hinüberblickte, erschrak ich. Da stand jemand anderes und übersetzte. Der Saal lachte laut auf. Der Dolmetscher war heimlich ausgetauscht worden. Es gab zwei Übersetzer, die sich alle zehn Minuten abwechselten, denn Gebärdendolmetschen ist anstrengend. Das Publikum hatte seinen Spaß und ich ebenfalls – wenn auch zeitversetzt. Denn das war das Skurrilste an der Situation. Vor jeder Pointe schaute der Dolmetscher erwartungsvoll auf mich, die gehörlose Mitarbeiterin auf ihn, und ich wiederum starrte auf das Publikum, das die gehörlose Kollegin beobachtete, um zu sehen, ob sie auch lachte, woraufhin sie sich ebenfalls einen Lacher gestattete. Abseits von allen anderen stand der CEO, der nervös hin und her guckte und nur aus Panik grinste. Es war wie am Ende eines Westerns, wenn sich alle gegenseitig mit den Waffen bedrohen.

Aber das Ziel war erreicht, jeder lachte. Völlig politisch korrekt. Eben die Nummer eins der Branche.

Und wieder einmal hatte sich gezeigt: die vermeintlich Diskriminierten sind immer die Entspanntesten.

Ein Spielort kann auf viele verschiedene Arten schlimm und unpassend sein. Manchmal liegt es am Saal, manchmal an der Klientel, manchmal an der Anzahl der Menschen.

Bei meinem Auftritt in einem Multiplex-Kino in Coventry ging der Veranstalter etwas zu optimistisch an die Sache heran. Er hatte einen Riesen-Saal angemietet, der sicherlich 500 Zuschauer fasste. Gekommen sind dann 30.

Da ein Kinosaal generell schon so konstruiert ist, die Geräusche der Besucher zu dämpfen, ist ein Comedy-Auftritt in einem solchen Raum prinzipiell eine eher zweitklassige Idee. Kommen dann nur so wenige, wird's nicht besser. Ich habe zwar auf der Bühne kaum Lacher gehört. Ganz still war es aber glücklicherweise nicht. Im Saal nebenan lief nämlich Jurassic World. Die lauten Bässe der T-Rex-Schritte klangen auch bei uns noch schön satt.

Nur schade dass im Nebensaal nicht der Veranstalter meines früheren Kunstgalerie-Auftritts für Ruhe sorgte: »Bitte nicht zu laut! Nebenan sind noch Leute.« Cheers.

Fast so schlimme Comedy-Spielorte wie Kinos sind Spielcasinos. Was aber viele Veranstalter nicht davon abhält, dort regelmäßig Shows abzuhalten. In Großbritannien werden die meisten Spielbanken von Chinesen betrieben, die meisten Comedy-Clubs nicht unbedingt. Daher ist mir immer noch nicht klar, wie diese Kooperationen zustande kommen. Mit Geldwäsche hat das sicher überhaupt nichts zu tun.

Passend dazu findet die Comedy im Hinterraum der Spielbanken statt. Dort, wo sicher schon viele unglaublich saubere Deals abgelaufen sind. A funny business.

Und auf dem Weg in die Hinterstube laufe ich dann immer, genau wie das Publikum, durch den Hauptsaal des Casinos, an den zockenden und irgendwie traurig guckenden Chinesen vorbei. Viva Las Vegas!

Die Zuschauer kommen dann im kriminellen Hinterzimmer schon mal richtig in Laune, was sich noch steigert, wenn sie die nicht weniger kriminellen Getränkepreise sehen. Ein Auftritt in einer JVA wird ein ähnliches Ambiente haben. Nur gibt es da noch weniger Gewinner und es ruft seltener jemand BINGO.

Comedy gehört einfach nicht in Casinos. Das sage ich nicht nur wegen der schwierigen Auftritte dort. Es ist auch prinzipiell für einen Komiker kein sicherer Ort. Denn es bietet die Versuchung, die oft in bar ausgezahlten Gagen am Roulette-Tisch zu verdoppeln. Genau das habe ich einmal nach einem sehr schwierigen Auftritt gemacht. Es war nicht gut gelaufen, ich fühlte mich als Verlierer – das Haus hatte gewonnen. Genau das wollte ich jetzt ändern und setzte meine gesamte Gage beim Roulette auf Rot. Es kam natürlich: Schwarz. Das Haus gewinnt immer – heute sogar zwei Mal.

Ich sagte voller Sarkasmus: »Bingo!«.

Der Croupier war auf Zack: »Wrong table, my friend.«

Das Haus hatte nicht nur mein Geld, sondern auch meine Lacher.

Ich ging und flötete Monty Python: »Remember that the last laugh is on you.«

Casinos sind zwar oft schlimme Spielorte, aber wie hat der ehemalige Schalker Fußballspieler Fabian Ernst mal so schön gesagt: »Wir können immer noch schlechter.«

Und schlimmer als Casinos sind zum Beispiel Bowlingbahnen. Bei meinem Auftritt dort wurde auf einigen Bahnen weitergekegelt. Hier wurde dann nicht wie in der Spielbank »Bingo!« gerufen, sondern »Strike!«. Ich war nach einer Viertelstunde so mit den Nerven am Ende, dass ich am liebsten genau das gemacht hätte. Aber Streiken ist in meiner Stellenbeschreibung nicht vorgesehen.

Ich musste den Auftritt also trotz des Lärms zu Ende bringen.

Das hat auch ganz gut geklappt, denn irgendwann wird man ja auch schmerzfrei. Die Vielzahl der schwer zu bespielenden Orte hat mich nach und nach abstumpfen lassen. Wie einen Notarzt, der am Anfang kein Blut sehen kann und nach Jahren der Erfahrung und Routine nun neben den abgetrennten Gliedmaßen des Motorradfahrers ein Snickers isst.

Location, location, location, so heißt die heilige Formel auf dem Immobilienmarkt. Dasselbe gilt für uns Komiker. Die Location ist alles. Denn sie bestimmt, ob die Show machbar ist, oder eben nicht.

Mitten in der Lobby eines Hostels klappt es eher nicht. In einem Friseursalon auch nicht. Ebenso wenig in einem Autohaus, einer Grundschule oder in einem trockengelegten Swimmingpool. All diese Spielorte habe ich schon durch, meine Erlebnisse dort reihen sich ein in die Liste der schwierigen bis unmöglichen Auftritte.

Beim Auftritt in einer Kneipe mit eigener Mikro-Brauerei in Kent, saß ich kürzlich im sehr alten Backstage-Bereich, der einem Museum glich. Ich vertrieb mir die Zeit mit dem Betrachten der antiken Möbel und Gemälde, als ich plötzlich auf antideutsches Propagandamaterial aus dem Zweiten Weltkrieg stieß. Wie auf Kommando kam der Veranstalter herein und bemerkte meine Faszination. »Keine Sorge, wir haben auch noch was von der Gegenseite da. Etwas von euch«, sagte er und holte ein großes Gemälde hinter der Kommode hervor.

Hitler.

Bingo, da war es wieder, das Pub-Schwein.

ALLES WIRD GUT. WIRD ES DOCH, ODER?

– Der entscheidende Abend im Comedy Store –

Endlich wurde es Februar 2015, das Warten hatte ein Ende. Ich hatte Pub-Schweine, Gebärdendolmetscher und Begegnungen mit Hitler überstanden, hatte wochenlang auf Sofas geschlafen, monatelang wenig bis kein Geld verdient und mich schließlich jahrelang durch die kleinen, mittelgroßen und am Ende gar großen Clubs und Theater der Insel gespielt.

All das mit meinem großen Ziel vor Augen: Ich wollte dazu gehören im Comedy Store.

Und nun war es so weit, schlappe sechs Jahre nach meinem ersten Auftritt dort stand endlich ein bezahlter Gig in den heiligen Hallen an. Ein Meilenstein.

Sollte das hier heute Abend gut gehen, würde ich für ganze Wochenenden gebucht werden, dann wäre ich tatsächlich Teil des wichtigsten Clubs des Landes, hätte eines meiner größten Versprechen eingelöst.

Denn als ich mit 18 Jahren vor dem Comedy Store stand und rief, dass ich da eines Tages auftreten wollte, meinte ich natürlich als etablierter, regelmäßig gebuchter Künstler, nicht als Talent bei einer Gong-Show. Ich wollte Schmetterling sein, nicht Raupe. Und heute Abend stand sie also an, die Verpuppung.

Die letzten Tage hatte ich jeden Abend dasselbe Set gespielt, immer dieselben Nummern. Es waren Testrunden, Generalproben, und sie liefen gut. Vielleicht zu gut. Denn wenn man eines nicht will, dann sind es perfekte Generalproben.

Daher kam es, wie es kommen musste. Der Auftritt war zwar gut, aber eben nicht beeindruckend gut. Und ich hatte »beeindruckend gut« angezielt. Auf einer Skala von eins bis zehn war es eine Sieben, höchstens. Also viel zu wenig. Was war passiert? Ganz einfach, ich hatte am Tag des Auftritts noch an der Reihenfolge meiner Nummern geschraubt. Sehr schlau! Da funktioniert es jeden Abend in bewährter Reihenfolge, und was mache ich? Am Tag vor der wichtigsten Show fing ich an, Veränderungen vorzunehmen. Diese Dummheit wurde vollkommen zu Recht bestraft, und so sagte Don mir das, was ich mir selber auch gesagt hätte: »Das war gut, aber nicht gut genug für eine volle Wochenendbuchung.« Ich solle erst noch mal einen Donnerstag machen. Er hatte vollkommen recht und ich die Krise. Was für ein Rückschlag! Noch schlimmer allerdings fand ich, dass ich dieses Mal im entscheidenden Moment versagt hatte – durch einen idiotischen Anfängerfehler. Überall hatte ich abgeräumt in den letzten Wochen, und ausgerechnet hier und heute eben nicht. Selber schuld.

Ich bekam also einen erneuten Donnerstagstermin, dieses Mal für Anfang 2016 – jetzt würde ich wieder ein ganzes Jahr warten müssen. Gab es denn noch umfunktionierte Doppeldeckerbusse, Social Clubs oder Tontaubenschützentreffen, bei denen ich noch nicht aufgetreten war?

Doch ich ahnte noch nicht einmal, wie falsch ich mit meinen Befürchtungen liegen sollte...

Im August, knappe sechs Monate nach meinem vergeigten Auftritt im Comedy Store, spielte ich mal wieder beim Edinburgh Fringe. Dort stand ich jeden zweiten Tag bei der »Best of the Festival«-Show auf der Bühne. Die Gigs liefen ausgezeichnet, bis zu jenem seltsamen Mittwoch. Der Saal wirkte leerer als sonst, und der Moderator sowie die ersten drei Komiker bekamen so gut wie keine Lacher, obwohl sie sonst immer alle mitgerissen hatten. Ich war als letzter Comedian des Abends vorgesehen und stand wartend hinter dem Vorhang. Ich wunderte mich, warum es nicht lief und amüsierte mich leicht beunruhigt über die Wutausbrüche der Kollegen vor mir. Sie ließen das Publikum spüren, wie schlimm sie die Show fanden. Kein Wunder, dass die Stimmung immer schlechter wurde, es wirkte alles sehr ungemütlich. Da ich meiner Arbeit lieber unter angenehmeren Bedingungen nachgehe, schwor ich mir, mein Bestes zu geben und die Show irgendwie ordentlich zu beschließen. Ein Vorstellungsgespräch mit offenem Hosenstall war leichter, doch ich gab alles, machte ein paar Witze mehr als üblich auf meine Kosten, und ein wirklich schwacher Abend nahm doch noch ein einigermaßen passables Ende – auch wenn es auf jeden Fall die schlechteste Show des Monats war.

Anschließend stand ich vor dem Ausgang und verteilte Handzettel an das herausströmende Publikum, um meine Solo-Show zu bewerben. Normalerweise stehen da alle Komiker des Abends, heute jedoch ließ sich von den Kollegen keiner blicken, was wenig überraschend war.

Sie waren geflüchtet: geschlagen und besiegt. Obwohl auch ich mich nicht als Gewinner fühlte, präsentierte ich mich dennoch den Zuschauern auf dem Weg nach draußen. Die Zuschauer schien mein erneuter Anblick ebenfalls etwas Überwindung zu kosten, denn richtig glücklich wirkte hier niemand. Doch ich gab meine Handzettel aus und machte gute Miene zum bösen Flyer-Spiel. Gott sei Dank kenne ich hier niemanden, tröstete ich mich. Bei schlechten Auftritten hält mich stets die Hoffnung am Leben, dass wenigstens kein Bekannter, kein Kritiker, kein Kollege im Publikum saß. Ich hatte den Gedanken noch nicht zu Ende gedacht, da schoss mir der Schreck in die Glieder. Das konnte nicht wahr sein! Ausgerechnet heute, am schwächsten Tag meines gesamten bisherigen Festivals. Lass es einen Doppelgänger sein, bitte, lass es einen Doppelgänger sein!

Aber der Comedy-Godfather hat kein Double – Don Ward gibt es nur im Original. Und da stand er nun, samt fünfköpfiger Entourage. Das gesamte Comedy-Store-Team hatte die Show gesehen. Ich war erledigt. Don kam direkt auf mich zu, mit einem nicht zu deutenden Gesichtsausdruck. Eine leere Leinwand, die ich mit schlimmsten Befürchtungen füllte. Er war nur noch fünf Schritte von mir entfernt, aber die Zeit stand still. Mein Leben spielte sich als Film (eine Tragödie!) vor meinem inneren Auge ab, jede Sekunde wurde zur Minute. Würde Don überhaupt etwas sagen oder würde er mir den Todesstoß durch einen seiner Mitarbeiter ausrichten lassen?

Jetzt stand er vor mir und gab mir die Hand – nach wie vor keine Regung in seinem Gesicht.

»Hallo, Christian.«

War das ein gutes Zeichen? Mein Schuldirektor hatte mich früher auch immer so begrüßt, wenn ich bei ihm zur Rüge antanzen musste. Ich war plötzlich wieder elf.

»How are you?«

O nein, bitte jetzt kein Small Talk.

Ich ging in die Vorwärtsverteidigung, sah im Sarkasmus, im Galgenhumor meine letzte Chance:

»Da habt ihr heute aber die beste Show des Festivals erwischt.«

Don guckte mich nach wie vor in einer Mischung aus Freundlichkeit und Ernst an. Eine weitere gefühlte Stunde verging.

»Ja, war ne harte Show«, sagte er trocken.

Noch immer hatte ich nicht den blassesten Schimmer, wie sein Urteil ausfallen würde.

Dead Man Walking, meine Zeit war abgelaufen.

»Aber du warst der einzige Profi heute. Du hast alles rausgeholt und den Abend gerettet. Sehr gut.«

Hatte er das wirklich gesagt? Oder war das ein Teil der Halluzinationen, die mir mein Adrenalin bescherte?

Er sah meinen leeren Blick und legte nach:

»You did the job.«

Das sind Worte, die wahrlich nur der Pate sagen konnte. Ich beruhigte mich, die Hormone pendelten sich ein, und die Zeit beschleunigte sich wieder. Zwar wusste ich immer noch nicht, was die Folgen für mich wären, aber der GAU schien abgewendet.

Oder hatte Don einfach nur höflich sein wollen? Würde das dicke Ende stattdessen per E-Mail oder Telefon kommen? Auch das kennt man aus Filmen: Kurz vor der Exekution des Familienmitglieds gibt sich der Clan-Boss extrafreundlich. So beschloss ich nach unserer Verabschiedung, weiterhin beunruhigt zu sein. Entsprechend war in der folgenden Nacht an Schlaf nicht zu denken.

Der Showdown kam am nächsten Vormittag in Form meines klingelnden Telefons: das Comedy-Store-Büro. Ich hatte es geahnt. Jetzt war ich fällig!

»Du hast doch eine Donnerstagsbuchung im März 2016 bei uns?«

»Ja, genau. Ich freu mich schon«, antwortete ich in unterwürfiger Panik.

»Was machst du denn an dem Freitag und Samstag danach? Hast du da auch Zeit?«

Was für eine Wendung, ich war drin!

Pures Glück.

ZU (UN)GUTER LETZT: DER BREXIT

– Kontinent oder inkontinent? Das ist hier die Frage –

»Jeder Engländer ist eine Insel.«
Novalis

Es ist schon eine ironische Wendung, dass meine Wahlheimat ausgerechnet in dem Jahr, in dem ich sagen kann »Ich bin drin!«, antwortet: »Wir sind raus.«

Sie haben es tatsächlich getan, Großbritannien verlässt die EU, und der ganze Kontinent fragt sich, wie es dazu kommen konnte. Vielleicht ist die Erklärung ja einfach, und die Briten haben es bei der EU-Abstimmung mit Groucho Marx gehalten: »Ich möchte nicht Teil eines Klubs sein, der bereit wäre, mich als Mitglied zu haben.«

Wer schon drin ist, aber nicht drin sein will, tritt also aus. Und dafür gibt es jetzt dieses Wort: Brexit. Ein Kunstwort, das für mich nach wie vor eher wie eine Cornflakes-Sorte klingt. Wie passend, denn jetzt wird ausgelöffelt. Aber vor dem Löffeln kommt das Verstehen. Warum nur steht die Mehrzahl der Briten Europa so skeptisch gegenüber? Warum fühlen sie sich nicht zugehörig?

»Ich bin zum ersten Mal in Europa«, sagte mir der englische Kollege aus London vor dem Auftritt im Berliner Quatsch Comedy Club – und erklärte damit mehr, als jede Folge ZDF Auslandsjournal es je vermochte.

Als ich ihn fragte, auf welchem Kontinent er denn sonst wohnte und auftrat, gab er mir zu verstehen, dass England eben zu keinem Kontinent gehöre. Großbritannien, ein Einzelkind. Ohne Cousins. Eine Insel eben.

Das Insel-Argument liegt, wie zuvor schon beschrieben, natürlich auf der Hand. Aber vom mangelnden geografischen Anschluss abgesehen, haben die Briten weitere Gründe für ihre Absonderung vom Kontinent, und diese sind vielschichtig: Als ehemaliges Imperium fühlt man sich nach wie vor eher den Commonwealth-Ländern wie Australien oder Kanada zugehörig als dem europäischen Festland. Wenn schon Union, dann am liebsten die eigene – selbst wenn diese seit langer Zeit Geschichte ist. Und das Vereinigte Königreich ist ja auch irgendwie eine Mini-Union: England, Wales, Schottland und Nordirland, das reicht. Die vier Teilstaaten verstehen sich zwar beim Fußball und Rugby nicht, bilden aber ansonsten eine Einheit, irgendwie. Die Währung, die Sprache, der Union Jack, die Königin, das verbindet trotz aller Vorbehalte und wird zum Gebot: Ich bin das Königreich, und du sollst keinen Bund neben mir haben! Die Nato ist da die Ausnahme der Regel, denn Alleinesein und Alleinekämpfen sind eben doch zwei Paar Schuhe.

So glaubt Großbritannien ohne Unionszugehörigkeit klarzukommen, weil das bisher ja so funktioniert hat. Womit wir schon bei einem der größten Unterschiede zwischen dem kontinentalen Europa und dem insulanen Britannien angekommen wären. Während die meisten Nationen auf dem europäischen Festland in ihrer heutigen Form junge Staaten sind, mit einer vergleichsweise jungen Verfassung, einem jungen

Parlament und vor allem jungen Erinnerungen an Verwüstung im eigenen Land, haben die Britischen Inseln – abgesehen von den Luftangriffen im Zweiten Weltkrieg – sich seit dem Siebzehnten Jahrhundert so gut wie nicht verändert. Einige Mitglieder im House of Lords sehen so aus, als seien sie von Anfang an dabei gewesen.

Wenn also vierhundert Jahre lang alles irgendwie gleich bleibt und man weder Währung noch Fassung verliert, sondern höchstens mal die Seehoheit und als Konsequenz daraus ein erwähnenswertes Imperium, dann sagt sich eine Nation: Keep calm and carry on!

Übersetzt heißt das: Es geht auch alleine, eine Staatengemeinschaft wie die EU ist nichts für uns.

Deutschland, Frankreich, Belgien und fast alle anderen Länder Europas sehen das naturgemäß anders. Wir glauben an einen starken Verbund, der Frieden garantiert und uns eben nicht wieder Land, Währung und Bleikugeln um die Ohren fliegen lässt. In der Gemeinschaft fühlen wir uns sicherer. Großbritannien hat das nicht nötig, man hat schließlich mit dem Ärmelkanal einen naturgegebenen Burggraben um sich, so etwas sorgt für Sicherheit. Und die einzige Landverbindung, der Tunnel nach Frankreich, kann, wie gesagt, zur Not geflutet werden – am besten mit siedendem Öl, wie früher, wenn der Feind vor dem Zugtor stand. Hach, die gute alte Ritterzeit!

Die Insellage mag zwar – mit all ihren erwähnten Konsequenzen – die historische Distanz der Engländer (die Schotten ticken da anders) zu Europa begründen. Aber reicht das, um das Brexit-Votum zu erklären?

Wie kann ein Land sich für die vor allem wirtschaftlich klar schlechtere Option entscheiden? Wie kann eine Nation sich – in unseren Augen – so rückwärtsgewandt zeigen?

Das sind Fragen, die sich Kontinentaleuropa nach dem Austrittsgesuch Großbritanniens stellt. Die Auftritte von Boris Johnson, Nigel Farage und all den anderen Brexit-Spielern taten ihr Übriges. Das wirkte alles arg kamikazeartig, fast zur Parodie verschandelt und somit in der Konsequenz schwer nachvollziehbar.

Es kam das Gefühl auf, dass dort Strategen am Werk waren, die sich völlig verzockt haben. Und so waren nicht nur die Strategien beunruhigend, sondern auch die Strategen. Eine Situation, die einem Land – vor allem in Kombination mit einer Volksabstimmung – nur selten guttut.

So eine wichtige Entscheidung in die Hände des Volkes zu geben ist ja generell heikel. Kann man wirklich 60 Millionen Menschen aller Bildungs- und Interessengrade zutrauen, eine solch folgenreiche Entscheidung richtig abzuwägen und sinnvoll zu treffen?

Winston Churchill hat die Frage damals treffend beantwortet: »Das beste Argument gegen die Demokratie ist ein fünfminütiges Gespräch mit dem durchschnittlichen Wähler.«

So ist es eben: Wer alle fragt, bekommt auch von allen Antwort. Und da sind dann leider auch alle Ahnungslosen mit dabei. Deswegen wird eben vieles nicht vom Volk entschieden, sondern von Volksvertretern, die ja in der Regel einfach etwas mehr Zeit haben, sich mit gewissen Themen auseinanderzusetzen. Außerdem sind sie für die Entscheidung belangbar, was bei einem Volksentscheid nicht ganz so einfach ist. So große Sippenhaft-Gefängnisse müssen erst gebaut werden.

Die wichtigste Lehre aus dem Brexit-Referendum ist also, dass man kein Brexit-Referendum abhalten sollte. Und auch sonst kein Referendum. Denn ließe man über alles das Volk entscheiden, gäbe es sicher auch in Deutschland viele Neuerungen. Zu einem EU-Austritt käme es vielleicht nicht, aber sicher zur Wiedereinführung der D-Mark, zu Freibier für alle, wir hätten einen Steuersatz von 0% und die Todesstrafe für Drängler auf der Autobahn. Einzige Ausnahme: man ist selber der Drängler – in dem Falle wird dann der Vorausfahrende verurteilt, wegen Verkehrsbehinderung. Das Leben in einem solchen Land wäre sicher amüsant, aber nicht unbedingt extrem nachhaltig.

Referenden sind also der repräsentativen Demokratie eher nicht vorzuziehen, ansonsten bekommt man eben populistische Debatten und somit ebensolche Ergebnisse. Aber da das (Einzel-)Kind jetzt im Brunnen liegt, geht der Blick nach vorne. Großbritannien ließ das Volk abstimmen und somit den Brexit Realität werden. Wie geht es also weiter, was wird aus uns circa drei Millionen EU-Ausländern im insulanischen Königreich? We are many.

Ich wohne als Deutscher mittendrin und kaufe mein Gemüse beim Portugiesen, mein Brot beim Italiener und meine Wurst beim Polen. Sind wir jetzt noch willkommen, oder fliegen wir alle raus?

Mein Stammcafé wird von einer Französin betrieben. Elodie ist wunderbar direkt, niemals zu höflich, und sie bemüht prinzipiell keine Small-Talk-Floskeln. Sie ist also der Gegenentwurf zur britischen Umgangsform, die von Höflichkeit, Entschuldigungen und Formeln lebt. England braucht Leute wie uns.

Ein typischer Dialog in Elodies Café läuft wie folgt ab:

Kunde: »Hello, how are you?«

Elodie: »What do you want?«

Kunde: »Can I have a coffee?«

Elodie: »I don't know if you can have a coffee.«

Kunde: »Excuse me?«

Elodie: »You don't need to excuse yourself. Do you want a coffee?«

Kunde: »Yes, please. I'll have a coffee please.«
Elodie: »Finally.«

Einmal kam ein Kunde und bestellte bei Elodie einen modernen Hipster-Kaffee, also etwas ohne Lactose, Gluten, Pluto-
nium und so weiter. Er hatte sich den falschen Laden ausge-
sucht:
Kunde: »Can I have a dry skinny latte with soy milk?«
Elodie: »No.«

Viele Engländer halten es für kaum möglich, dass man so ehrlich und harsch sein kann. Mit ihrer französischen Direktheit
hat sich Elodie daher eine kleine Fangemeinde erarbeitet. Am
Tag nach der Brexit-Abstimmung kamen viele Kunden zu ihr
und entschuldigten sich für das europafeindliche Abstim-
mungsergebnis.

Und weil es eben überall Idioten gibt, betrat schließlich
ein solcher das Café – in Gestalt einer älteren Frau. Sie fragte
Elodie mit hasserfüllter Stimme: »So when are you going
home?«

Elodie fand, wie immer, die passende Antwort: »At five
o'clock. I always go home at five.«

Insgesamt ist die Stimmung dennoch nach wie vor freundlich
und tolerant, vor allem in London. Das liegt natürlich auch am
sozialen Milieu. Junge Großstädter sind einfach toleranter
und europafreundlicher. Den Gegenpol bilden kleine Orte in
bestimmten, vor allem strukturschwachen Regionen Englands. So war ich kürzlich auf einer Hochzeit in Essex, einem
County mit sehr hohem »Leave«-Anteil bei der Abstimmung.
Dort unterhielt ich mich mit sehr gebildeten und erfolgreichen
Menschen. Die würden doch wohl alle für den Verbleib
gestimmt haben? Fehlanzeige. Ich zählte eine fast 100%-ige

Austrittsquote. Die Argumente waren die Klassiker, meine Antworten stießen auf taube Ohren:

»Die da oben in Brüssel sind nicht von uns gewählt worden.« Im Gegensatz zur Queen samt Royal Family.

»Wir lassen uns nicht vorschreiben, wo wir unsere Bananen kaufen.«

Bisher kamen natürlich alle in England verzehrten Bananen aus Deutschland und Ungarn.

»Es kommen unglaublich viele Ausländer zu uns.«

Meinst du deine slowakische Putzfrau oder deinen fleißigen polnischen Hausmeister, der 24 Stunden am Tag erreichbar ist? Oder etwa den italienischen Kneipier, der den bankrotten Pub bei dir um die Ecke wieder aufgepäppelt hat? Um all diese Jobs würden sich die Engländer natürlich prügeln. Sofort abschieben, alle!

Einige der Austrittswähler zeigten sich jedoch geläutert, sie hätten das alles so nicht beabsichtigt. »Ich wollte doch nur meine Unzufriedenheit zum Ausdruck bringen. Aber einen Austritt wollte ich nicht.« Auf die Frage, wie sie denn nun bei einem erneuten Referendum abstimmen würden, erreichte ihre Antwort neue Dimensionen des Wahnsinns: »Natürlich genauso.«

Andere bereuten jedoch tatsächlich ihr »Leave«-Votum. Sie wollten ihren Protest zeigen, sind aber jetzt überrascht und enttäuscht über das Ergebnis: »Ich hätte nicht gedacht, dass meine Stimme den Ausschlag geben könnte. Hätte ich das nur geahnt...«

Ich respektiere das Maß an Ehrlichkeit und bin gleichzeitig überrascht über so viel taktische Unzulänglichkeit. Es ist, als drohte man seiner Frau mit Scheidung – und dann willigt sie auch noch ein. Ungeheuerlich.

Erstaunlich fand ich, dass fast alle Brexiteers dieselben leicht zu widerlegenden Argumente haben. Bauch schlägt Kopf, so lässt sich die Debatte zusammenfassen.

Das Land steuert jetzt wohl auf eine Rezession zu. Das einzig Gute daran: Die völlig verrückten Londoner Immobilienpreise sinken endlich. Es wird wieder Garagen in Chelsea geben, die für weniger als 360 000 Pfund zu haben sind. Ein Paradies für Schnäppchenjäger.

Wenn sich die Lage also etwas beruhigt hat, der EU-Austritt abgewickelt und ein Deal zwischen Großbritannien und Brüssel erreicht ist, wird sich zeigen, dass sich ganz so viel nicht verändert haben wird. In England wird weiterhin links gefahren, mit dem Pfund bezahlt und um vier Uhr Tee getrunken. Die britische Gesellschaft wird nach wie vor multikulturell sein, und es wird in London auch weiterhin französische Cafés, polnische Hausmeister und italienische Restaurants geben.

Ich gehe also davon aus, dass wir bleiben dürfen. Schließlich bin ich schon eine Weile da, habe keine chronischen Krankheiten und bin nicht schwanger. Für diese Menschen sieht es sicher nicht so gut aus, denn wer Sozialleistungen benötigt, der kommt besser nicht aus dem EU-Ausland. Das kommt bei den Europaskeptikern nämlich nicht ganz so gut an, und daher wird es dort sicherlich drastische Kürzungen geben. Dass die meisten Ärzte und Pfleger auch keine Briten sind, geschenkt.

Wir wollen die emotionale Debatte nicht mit Fakten belasten.

Und wenn doch alles ganz anders kommt? Was, wenn ich die Insel tatsächlich verlassen muss?

Ausgerechnet jetzt, da ich nach einem langen harten Weg dort angekommen bin, wo ich immer hinwollte: im Comedy

Store, in allen Top-Clubs des Landes und nicht zuletzt in der britischen Kultur.

Jetzt gehen? Kommt nicht in Frage!

Eins steht fest, so einfach werden mich die EU-Gegner nicht los. Denn falls wirklich alle Deutschen gehen müssten, wäre ich ja nicht der Einzige. So müsste auch die königliche Familie dran glauben. Ich werde erst dann ausreisen, wenn Elizabeth, Philip, Charles und Co. ebenfalls die Fähre besteigen. Der Royal Brexit, das wäre ein Spektakel.

Dann träfe es wohl alle Exil-Deutschen: Jürgen Klopp, der Trainer von Liverpool, müsste ebenso zurückkommen nach Deutschland. Und das wäre schade, denn er ist im arbeiterklassigen Norden Englands ja unglaublich beliebt. Er passt da einfach hin, er ist einer von ihnen, ein typischer Liverpooler: lustig, immer im Trainingsanzug, und er spricht kein vernünftiges Englisch.

Letzte Nacht hatte ich einen Traum. Ich stand mit Jürgen Klopp und der Queen am Fährhafen in Southampton, wo wir auf unsere Ausreise warteten – man hatte uns tatsächlich abgeschoben. Wir unterhielten uns in der Wartehalle und spielten nebenbei an der Fruit-Machine. Hier sollte es also enden. Wie jeder Automatenspieler verloren auch wir. Eine traurige Szenerie, alles war genau wie im Herbst 2009, als ich nach meinem Albtraumauftritt (»Off! Off! Off!«) niedergeschlagen im Wartesaal des Bahnhofs von Bournemouth saß.

Doch plötzlich krachte es ohrenbetäubend laut, ein Mini flog durch die Wand. Unmittelbar nach dem Stillstand hielt uns aus dem Autofenster jemand einen Zettel entgegen. Es war Christine Cole, die britische EU-Wiederaufnahme-Urkunde in der Hand. Cheers, Christine!

Alles wird gut.

XXOX

DANK

Big thanks
an Esteban de Alcázar, Paula Harrington, Lee Chean, Alva Gehrmann, Nadja Bobyleva, Rocco Swantusch, Maureen Younger, Henriette Noack, Philipp Marquardt, Thomas Nicolai, Renate Berger, Stef Vanpoucke, Oliver Schroer, an meine Familie, meine Freunde, die vielen Zuschauer und Kollegen, sowie natürlich an Don Ward und den Comedy Store.

Ein besonderer Dank gilt Lektorin Angela Gsell für ein wunderbares Funken auf derselben Wellenlänge.

Das letzte Wort
hat mein Mathelehrer Herr Weise mit einem Eintrag ins Klassenbuch:

»Schulte-Loh des Raumes verwiesen. Ich kann in meinem hohen Alter das ewige Gequake einfach nicht mehr ertragen.«